ЮРИЙ
БУЙДА

Юрий
Буйда

Вор, шпион и убийца

УДК 82-3
ББК 84(2Рос-Рус)6-4
Б 90

Дизайн серии *Алексея Марычева*

Автор фотографии — *Никита Буйда*

Буйда Ю. В.

Б 90 Вор, шпион и убийца : роман / Юрий Буйда. — М. : Эксмо, 2013. — 320 с. — (Большая литература. Проза Юрия Буйды).

ISBN 978-5-699-62607-6

Мир лежит во зле, понимает герой Юрия Буйды, с юности обожающий Кафку и вслед за ним мечтающий стать писателем: воровать у реальности образы, шпионить за малейшими движениями души и убивать мгновения, чтобы запечатлеть их навеки! Однако в нищете послевоенных лет писателям суждена совсем другая судьба: работа на заводе, случайные связи с женщинами, жизнь, близкая к животной... Но однажды он научится в собственном грехе черпать силы. Кажется, что, взрослея и приближаясь к исполнению своей мечты, герой Буйды из мертвой воды окунается в живую, чтобы в будущем закалиться от всех напастей!

УДК 82-3
ББК 84(2Рос-Рус)6-4

ISBN 978-5-699-62607-6

«Лишь потому, что я такой, я буду жить».

Шекспир, «Все хорошо, что хорошо кончается»

Глава 1. 5040

Утро началось с ведра, которое стояло в углу кухни. Первым к ведру подошел отец, его струя ударила в цинковое дно с режущим звоном. Второй была мать. Она постанывала: после недавних родов болела поясница, а мою младшую сестру она родила — шутка ли — в тридцать восемь лет. Третьей над ведром пристроилась нянька Нила, молоденькая смешливая девушка из деревенских, которая мочилась с закрытыми глазами, чтоб никто ее не увидел. Помочившись, каждый зачерпывал ковшиком из кадушки печную золу и высыпал в ведро.

Ведро служило по ночам или такими утрами, как сегодня, — холодными и черными, а днем взрослые ходили в уличный туалет. Это была деревянная будка с двумя отделениями — мужским и женским, до которой приходилось добираться по грязной тропинке между сараями.

Мне разрешалось пользоваться ночным горшком. Да и вообще никто меня не неволил, я мог оставаться дома и спать сколько влезет. Но не в этот день.

Не в такой день. Сегодня — демонстрация. Родители брали меня с собой на демонстрацию трудящихся, посвященную Великому Октябрю, годовщине революции. Революция — это подвиг, а значит, и демонстрация — подвиг. И я отважно сел голой тощей задницей на холодный железный горшок.

Отец растопил кухонную плиту, печь в комнате, взял керосиновую лампу и ушел в сарай — кормить скотину, то есть поросенка, кур и кроликов.

Вскоре зашумел чайник, в квартире запахло котлетами, утюгом, подпаленной тряпкой, стало весело и нервно.

За окнами мало-помалу светало.

В тот момент, когда мать — голова в бигуди, но глаза уже подведены черным карандашом — позвала к столу, прозвучала Труба.

Городок жил по Трубе бумажной фабрики, которой подпевали трубы мукомольного и маргаринового заводов. Их голоса, конечно, не шли ни в какое сравнение с мощным басом главной Трубы — идеального восьмидесятиметрового конуса из красного кирпича, который был виден из любой точки городка. Фабрика работала круглосуточно, безостановочно, и трижды в день, каждые восемь часов, Труба звала на работу новые смены сушильщиков, сеточников, каландровщиков, грузчиков, электриков, учетчиков, нормировщиков, инженеров, столяров и сторожей. Но сегодня она звала всех свободных от смен на демонстрацию, на подвиг.

От нашего дома до проходной фабрики было минут десять ходу, поэтому мы и не торопились.

После завтрака нянька занялась грязной посудой, мать — разбором бигуди, а отец взялся за бритье. По воскресеньям он ходил в парикмахерскую, где пузатый еврей Левка брил клиентов по старому обычаю: с пальцем — за десять копеек, с огурцом — за пятнадцать. То есть он засовывал клиенту в рот палец, чтоб натянуть щеку для чистого бритья, а если посетитель был готов раскошелиться, то вместо пальца Левка использовал огурец. Отец брился с огурцом. В будние дни он, разумеется, брился сам.

Отец поставил на подоконник зеркало, положил на блюдечко кусочек квасцов, взбил в латунном стаканчике мыльную пену и стал править на туго натянутом кожаном ремне трофейную бритву, бросив мне через плечо: «Три раза». До выхода я должен был не менее трех раз помочиться, чтоб во время торжественного шествия не бегать по кустам.

Мать достала из шкафчика шкатулку с наградами и молча посмотрела на меня. Я закивал головой: да-да-да. Я был уверен, что все ордена и медали отца на месте.

Играя в войнушку, ребята надевали отцовские медали-ордена, и случалось, теряли их. За это нас, конечно, наказывали, но без страсти: взрослые в те годы старались забыть о войне, жить будущим и не придавали такого значения своим боевым наградам, как при позднем Брежневе. В нашей мальчишеской компании были и немецкие награды — кресты и медали, которые мы находили на чердаках, в развалинах или выкапывали на огородах. Их нацепляли те, кто играл «за немцев».

Отец надел пиджак, выпрямился, мать встала на низкую скамеечку и стала прикреплять награды, действуя в строгом соответствии с приказом № 240 от 21 июня 1943 года «О правилах ношения орденов, медалей, орденских лент, лент медалей и военных знаков отличия военнослужащими Красной Армии»: орден Красного Знамени и медаль «За отвагу»– слева, орден Александра Невского — справа. Отец помнил этот приказ наизусть и терпеть не мог фильмов, в которых солдаты и офицеры шли в атаку с наградами на груди, что было запрещено: «С полевой формой награды носили только по государственным праздникам, а перед боем сдавали старшине роты под расписку».

Мать ворчала: «Пора бы второй пиджак купить или построить, а то в этом — и в пир, и в мир, и в честные люди... ну вот, кажется, все...»

Отец повел плечами и снял жену со скамеечки.

Нянька прижала пухлые ручки к пышной груди и прошептала: «Жених...»

Отец дал ей щелбана.

Наконец мы вышли во двор, где уже собрались соседи.

Ближайшим нашим соседом был дюжий седобородый старикан Добробабин, кавалер четырех Георгиевских крестов и трех орденов солдатской Славы. Он был замечательным плотником, столяром и бабником. Рассказывали, что однажды он закрыл в гробу заказчика, чтобы тот «пообвыкся», и пока тот обвыкался, так отходил хозяйку, что она ему заказала еще один гроб — для следующего мужа. Женщины с усмешечкой называли старика Кавалером.

Старик с поклоном приветствовал жену Витьки Колесова — Кристину, виленскую польку, которую все во дворе звали пани Крысей, а за глаза — Крысой-в-Шляпе, хотя она была милой дамой и главным экономистом бумажной фабрики, а ее шляпкам завидовали все женщины.

Я сразу кинулся к ровеснику Женьке Нестерову. Нас называли молочными братьями: когда у моей матери кончилось грудное молоко, Женькина мать, тетя Лида Нестерова, поделилась со мной своим. Она была огромной и доброй женщиной, подкармливала нас то медом с огурцами, то простоквашей с хлебом. А ее старшая дочь — четырнадцатилетняя Настена, могучей статью пошедшая в мать, — однажды зазвала нас с Женькой в кусты за туалетом и дала пососать свои холодные груди.

Муж тети Лиды работал каландровщиком, был человеком смирным и сильным: однажды он на спор зубами выдернул из бревна толстенный ржавый гвоздь.

Этажом выше Нестеровых жили Байкаловы. Про бесшабашного Леху Байкалова соседи говорили: «Метр курит — два бросает». Во время войны он был командиром торпедного катера, а теперь работал главным механиком фабрики. Леха носил тельняшку и фуражку-капитанку с золотым «крабом», пил водку левой ноздрей, то и дело дрался с женой — маленькой кривоногой рыжухой Зинкой, которая подозревала, что ее муж переспал чуть не со всеми женщинами в округе.

И первой под ее подозрение попадала Марина Пащенко, которую и взрослые, и дети, и даже кассирша в день получки называли Пащей. А Зинка Байкалова звала ее Королевой Бузины.

Почти весь наш городок лежал в развалинах — всюду огрызки домов, стены с оконными проемами, подвалы без зданий, и все это поросло кустами бузины. Летом ее густая листва скрывала все это убожество, в кустах можно было наскоро справить нужду, потому что на весь городок не было ни одного общественного туалета, а мужчины там выпивали — подальше от посторонних глаз. Вечерами влюбленные после кино, прогулявшись по городу, посидев в пустом зале ожидания железнодорожного вокзала, постояв на мосту через Лаву, забирались наконец в заросли бузины, где свобода одного ограничивалась лишь свободой другого. И если после этого у девушки появлялся ребенок, отца которого было невозможно отыскать среди одинаковых солдат местного гарнизона, про такого ребенка говорили: «Из бузины».

У Пащей было узкое горбоносое лицо с крупными губами, высокая шея, большая грудь, узкая талия, мощные бедра, округлые мускулистые икры, а пальцы на ногах у нее — наверное, из-за заостренных ногтей — были похожи на птичьи когти. Когда она выходила во двор развешивать белье — раскрасневшаяся, в коротком платье-рубашке, босая, с прилипшими ко лбу русыми кудрями — и поднималась на цыпочки, доминошники за столиком под деревьями замирали, затаив дыхание.

Обе ее дочери были «из бузины», и старшая белобрысая Ниночка, и младшая смуглянка Верочка, обе от неизвестных отцов. Костистая Ниночка дралась как мальчишка, хорошо училась и презирала мать. А Верочка, моя ровесница, была настоящей *пащей*, падшей, и она любила, чтобы ее лизали. Забравшись в укромное местечко, она раздевалась догола и позволяла мальчишкам облизывать ее сладкое пухлое тельце, каждую сладкую складочку, каждый сладкий пальчик, и два жалких мышонка, дрожа от страха и стыда, толкаясь и мыча, с наслаждением лизали ее упоительные складочки и липкие ее пальчики, а она урчала и стонала, доводя нас до изнеможения. Но потом появлялись братья Костылевы — уж эти-то трое знали, что нужно делать с разомлевшей Верочкой, и гнали нас взашей.

Шептались, будто эти подростки по ночам шастали к старушке, которая жила на Первом хуторе со своей Люболей. Это были сиамские близнецы, сросшиеся Люба и Оля, у которых были две ноги и три руки. Если кто-нибудь вступит с ними в драку и схватит чудище за руки, его третья рука внезапно выскочит из-под накидки и ударит противника ножом. И вот с этой-то страшной Люболей дикари Костылевы якобы любили позабавиться.

Семья Костылевых была большой, злой и вечно голодной. Мальчишки тащили в рот все, что казалось им съедобным, даже речных устриц-жемчужниц, которых варили в ивняке на костре.

— На мясо не годятся, только на пуговицы, — сказал однажды про Костылевых Леха Байкалов. — Список смертных грехов, а не люди.

— Список смертных грехов, — возразила ему Вероника Андреевна Жилинская, — это не только список всего зла и дряни, на которые способны люди, но это еще и список человеческих возможностей.

Байкалов снял фуражку и дурашливо поклонился Веронике Андреевне, которую уважал за ум, твердость и непробиваемый идеализм.

Она работала медсестрой в госпитале для безнадежных инвалидов войны, и когда в Москве решили избавиться от колясочников, сослав их со всей страны на Валаам, на верную погибель, ночью тайком вынесла в мешке за плечами своего Илюшу, который вскоре стал ее мужем и отцом троих ее дочерей — таких же умных, ясноглазых и твердых, как их мать. Жилинская выучилась в институте и стала врачом-педиатром — ее уважал весь городок. А ее муж был мастером на все руки: чинил замки, велосипеды и будильники, лудил кастрюли, плел ивовые корзины и знал наизусть всего «Евгения Онегина».

Я много раз потом слышал от Вероники Андреевны это странное выражение про список смертных грехов, пока не понял, что смысл-то его, в общем, ясен и прост: человек может и должен черпать силы в осознании собственной греховности. Эта мысль была дорога Веронике Андреевне еще и потому, что, как потом я узнал от матери, всех троих дочерей она родила не от любимого Илюши, который был бесплоден, а от другого мужчины, одного и того же, чтобы девочки были похожи хотя бы друг на дружку. Она любила мужа, в этом не было никаких сомнений, и в то же время спала с другим мужчиной, от которого рожала дочерей.

Много лет спустя я попытался вычислить этого мужчину, понять, что он чувствовал, глядя на безногого мужа Вероники Андреевны, который светился от счастья, держа за руки своих девочек, и что чувствовала при этом Вероника Андреевна, и голова у меня пошла кругом.

«Не гадай, — сказала мать. — Это был хороший человек. Он любил Веронику, а она любила его — хорошие дети рождаются только от любимых мужчин — и любила своего Илью. Это любовь, а не трагедия. В жизни трагедий не бывает, а бывает либо любовь, либо пустота. А чтобы понять чужую жизнь, надо прожить свою».

— Ну что, Василий Иванович? — обратился к моему отцу кавалер Добробабин. — Пора?

Отец кивнул, мать взяла его под руку, и вся компания, побрякивая медалями и благоухая «Красной

Москвой», направилась к фабрике, откуда уже доносились звуки духовых оркестров.

С порога нам левой рукой махала Нила — в правой у нее было ведро с семейной мочой.

На асфальтовой площади перед воротами фабрики — столпотворение, людское коловращение. Все поздравляют друг дружку с праздником и все отвечают: «И вас так же». Мужчины хвалятся хромовыми сапогами с головками и спорят о том, какую шляпу — с какими вмятинками с боков и сверху — имеет право носить начальник цеха, а какую — только министр, бегают в чипок — кирпичную будку напротив проходной, где раскрасневшаяся буфетчица — половину магазина занимает ее грудь, остальное пространство ее прическа — наливает всем по сто; женщины в шалях, шапках, пуховых платках, с муфтами, в туфлях, в ботиках, напомаженные — притопывают, хохочут, широко открывая рты с золотыми зубами; друзья Костя Мышатьев и Жора Канделаки, подкидывая в воздух смушковые шапки, ходят кругами, грозно поглядывая друг на дружку и цокая подковками, пока цыган Серега издали заводит плясовую на сумасшедшей своей гармони, а жены плясунов — смуглая тонкая красавица Машка Мышатьева и статная белокурая красавица Ирина Канделаки — прячут алые носики в воротники; много инвалидов с орденами на гимнастерках; много вдов, поглядывающих на мужчин, выставив из-под пальто ножку в чулке-сеточке; много воздуха, много света, хотя солнце скрыто за серыми облаками; на холодном ноябрьском ветру хлопают флаги и транспаранты, в толпе раздают портреты Маркса, Энгельса, Ленина, Хрущева; у меня в руке маленький флажок со звездой, голова кружится от радостного волнения... вот-вот тронемся... вот-вот... вот зашевелились... тронулись! тронулись! Впереди — тяжелые бордовые знамена, за ними оркестры... гармонисты рвут наперебой, Костя Мышатьев и Жора Кандelаки пускаются в пляс, вприсядку, двигаясь вместе с колонной, много кумача, пахнет водкой, гуталином, «Красной Москвой» и «Шипром», звенят и сверкают медали, справа внизу тускло мерцает узкая речушка Лава, а за нею темнеет лесистый остров, а за ним высятся тяжелые кирпичные корпуса картоноделательного участка и мукомольного завода, и все это великое множество — тысячи мужчин, женщин и детей, инвалидов и вдов, несчастных и влюбленных, беременных и полых, слепых и жадных, жарко дыша, топая и цокая, под рев труб и переборы гармоней, под залихватские выкрики и бабий хохот, под хлопанье знамен — двинулось, двинулось, пошло-пошло, топая-шаркая-шлепая-приплясывая, и когда голова колонны миновала железнодорожный переезд и поднялась на первый мост, серые облака вдруг разошлись, поднялись вверх и легли по бокам, и мне было явлено чудо: увидел я город на высокой золотой горе, стобашенный город великий и белый, и над его башнями и куполами ослепительно вспыхнуло солнце, и этот бессмертный свет проник в мою душу и поразил ее навсегда...

— Не зевай, — сказал отец, беря меня за руку. — Шире шаг.

Мы прошли мимо сожженных и разбитых домов, на фасадах которых кое-где сохранились немецкие надписи, между сплошными развалинами, заросшими бузиной, и остановились на площади, которая была вымощена крупными плоскими сизыми и красными камнями, вырубленными из морен доисторических ледников. Над площадью нависал безверхий древний собор со стрельчатыми гигантскими глазницами, построенный в 1380 году тевтонскими рыцарями, в этот собор дети бегали справлять нужду, но никто не обращал на это внимания: это была наша жизнь, наша обыденность. Мы сами были этой жизнью.

Мы стояли посреди разора и запустения перед трибуной, с которой к демонстрантам обращался с речью директор фабрики, но его никто не слушал, хотя когда он делал паузу, площадь разражалась аплодисментами.

А потом прозвучали фанфары, к микрофону наклонился мужчина в серой папахе, с полковничьими погонами и хрипло прорычал:

— Парра-а-ад! Рравняйсь! Смирррна-а-а! Слушай мою команду-у-у! Побатарейна-а-а! На одного линейного! Арш!

И сверху, со стороны Банного моста, под звуки четырех оркестров со стройным тяжелым грохотом двинулись бурые шинели, серые шапки, черные петлицы со скрещенными пушками, кирзовые сапоги, высекавшие искры из доисторической мостовой, батарея за батареей, ракетчики-зенитчики, ракетчикистратеги, ура-ура-ура, и во главе каждой батареи — офицер в фуражке с лаковым козырьком, подпоясанный золотым поясом и нечеловечески высоко вскидывавший свои великолепные саблеобразные ноги в блестящих сапогах...

Потом под те же оркестры за военными двинулась школа, волнуясь знаменами и бумажными цветами, за нею, конечно же, бумажная фабрика, за нею мукомольный завод, маргариновый завод, железнодорожники, мелиораторы, и все кричали «ура!» и «слава!», откликаясь на призывы маленького очкастого человечка, который на трибуне терялся среди огромных мужчин — директоров, генералов, ветеранов партии и лютого кавалера Добробабина, хищно высматривавшего в толпе заказчицу попригожей...

Когда демонстрация завершилась и колонны превратились в толпы, площадь окружили несколько крытых грузовиков-буфетов. Откинулись их задние борты, и люди бросились покупать конфеты в коробках и на вес, шоколад, печенье, вафли, колбасу, пиво, лимонад, водку, коньяк, флакончики с духами и черт знает что еще.

Начинался дождь, но многие и не думали расходиться.

Оркестр играл «На сопках Маньчжурии», «Амурские волны» и «В лесу прифронтовом».

Мужчины пристраивались на корточках в кустах, откупоривали бутылки, подмигивали вдовам, и те как бы нехотя, томно щурясь от папиросного дыма, покручивая зонтики и покачиваясь на плавных ногах, обтянутых чулками-сеточками, присоединялись к компаниям.

В грузовики с грохотом летели портреты, свернутые знамена и транспаранты.

Люди семейные отправлялись по домам, к праздничному столу, молодежь закупала вино, чтобы зарядиться перед танцами в фабричном клубе.

Директор фабрики отдал свой серебристый «хорьх» женщинам, которые измучились ходьбой на шпильках. Отец сказал, что заглянет в Красную столовую, сто граммов — и домой.

Красная столовая — полуподвал со сводчатым потолком — находилась в обычном краснокирпичном доме под черепичной крышей, окруженном десятками сараев и сарайчиков. Сюда обязательно заглядывали на кружку пива «с прицепом» после аванса и получки, обмыть покупку или рождение первенца, а то и просто посидеть, потрепаться. Винегрет с селедкой, иногда — котлета, а чаще кусок хлеба, густо намазанный горчицей, — вот и вся закуска.

О чем там только не говорили! До каких высот лжи там только не доходили! О войне если и вспоминали, то вовсе не по-книжному, не по-киношному: этому удалось в медсанбате провести ночь с медсестрой, которая принесла ему спирта, поставив стаканы на свои груди и по пути не пролив ни капли; а тот вез домой *ажный чемодан* часов из Германии, да по пути проигрался в карты в пух; третий рассказывал о том, как в драке оторвал немцу руку и перепугался до смерти, пока не понял, что рука-то — деревянная, протез... И еще много было разговоров о еде и выпивке: где что ели-пили, да сколько, да кто больше съел.

В тот день больше всех съесть взялся двухметровый толстяк по прозвищу Гусь. Когда отец, директор фабрики и я вошли в Красную столовую, Гусь успел съесть почти полное ведро вареных яиц *в скорлупе.* Споривший с ним шофер Витька Фашист не спускал глаз с гиганта, который доставал из ведра очередное яйцо и проглатывал не жуя. Горло Гуся при этом вздувалось и опадало.

Директор и отец выпили по стопке водки, мне перепал бутерброд с сыром.

Все смеялись над Витькой — он проигрывал: на дне ведра лежали всего три яйца.

— Четвертое съешь — с меня рупь сверху! — прошипел Витька, протягивая Гусю еще одно яйцо, вынутое из кармана. — Рупь!

Гусь съел те три, что оставались в ведре, и четвертое. Горло его вздулось и опало.

Витька отсчитал победителю десять рублей бумажками и рубль мелочью.

Гусь поманил буфетчицу. Она принесла кружку пива. Гусь выпил залпом, оглушительно рыгнул и вышел из столовой.

— Ну сволочь, — растерянно сказал Витька Фашист. — Я ж ему камень подсунул. Понимаете? Яйцо у меня было в кармане — каменное. И камень сожрал — не подавился. Ведро яиц и камень! И ничего!

Все хохотали.

Когда мы вышли во двор, директор фабрики задумчиво проговорил:

— И ведь ничего, Василий Иванович, и ничего. С таким народом и Гитлера победили, и ничего, и кого угодно еще победим.

— Победим, Александр Максимович.

Директору не хотелось уходить. Когда он возвращался домой пьяным в стельку и ставил ноги в таз с горячей водой, жена снимала с гвоздя полотенце, завязанное с одного конца узлом и замоченное в воде, и принималась лупить его по голове. Об этом в городке знали все.

«Как ты понимаешь, Клава, что он — в стельку?» — спрашивали директоршу.

«По носкам, — отвечала Клава. — Если ставит в таз ноги, не сняв носки, значит, в стельку».

Мы оставили Александра Максимовича у Красной столовой и пошли домой.

Увидев нас, Пащая задернула занавески, чтобы мы не разглядели Леху Байкалова, который сидел в ее кухне. С папироской в зубах, без тельняшки, но в фуражке-капитанке, он пытался выбить пробку из бутылки.

Я вдруг вспомнил, как однажды тетя Лида Нестерова шепотом рассказывала моей матери о бесстыжей выходке Пащей: когда ей не хватило денег на коньяк, она предложила красавчику Темуру, продавцу, в качестве доплаты на выбор — трусики или лифчик. Красавчик Темур что-то прошептал, и Пащая, не сводя с него насмешливого взгляда, вытащила из-под юбки свои красные трусики, кинула их на прилавок, взяла бутылку и вышла с гордо поднятой блядской головой. Красные трусики, подумать только. «А сколько звездочек? — спросила мать. — Коньяк — сколько звездочек?» — «Пять!» — «Прогадал Темур, — сказала мать. — Мог бы еще и лифчиком разжиться».

Где-то в темной дали выла Люболя, которую по ночам выпускали погулять.

Нас ждал накрытый стол.

Отец поднял рюмку и сказал: «За победу».

Помню, тогда многие даже за новогодним столом поднимали тост за победу.

Меня сморило, и мать велела няньке отвести меня в постель.

Нила раздела меня, укрыла одеялом, легла рядом, взяла за руку и сказала:

— А в чужих домах я снов не вижу. Это хорошо или плохо?

Но я уже не мог пошевелить языком.

Почти все мальчишки мечтали побывать в водонапорной башне, которая стояла у железнодорожного переезда, рядом со старым немецким кладбищем, неподалеку от средней школы. Башня была красива: красный кирпич, строгие линии, узкие окошки, крыша, увенчанная медным шишаком. Но попасть внутрь было почти невозможно: самые нижние окна были прорезаны на двухметровой высоте и зарешечены.

Отцу в башню понадобилось по делам, а я оказался под рукой.

Мы вступили под своды башни как в храм.

Здесь стоял полумрак, хотя все было ясно различимо: какие-то шкафы и механизмы по стенам, пожарный щит и деревянная лестница, штопором возносившаяся под крышу.

Наверху ворковали голуби.

Отец легонько подтолкнул меня, и я, схватившись за перила, двинулся наверх.

Лестница раскачивалась, вдобавок ступени и поручни были сплошь облеплены голубиным пометом. На середине подъема я остановился, посмотрел вниз, но отец сказал, не повышая голоса: «Тронул — ходи». Он учил меня игре в шахматы, и это было первое шахматное правило, которое я выучил: «Тронул — ходи». Глубоко вздохнув и стараясь не зажмуриваться (этому тоже учил отец: «В драке не зажмуривайся»), я преодолел еще сколько-то ступенек и оказался на железной площадке, которая окружала огромный бак с водой.

Отец поднялся легко и быстро, опустился на колени и стал делать записи в блокноте.

Я присел перед узким окошком, схватился за поручни и выглянул наружу. Черепичные крыши домов, толевые крыши сараев, кроны каштанов и лип, чешуйчатые мостовые, блеск реки и железнодорожных путей, а еще — тихий гул ветра и частый стук сердца.

Я увидел весь город, целиком. Многие уголки его были скрыты деревьями, многие детали неразличимы, но именно тогда, именно в тот миг образ города сложился в моем сознании, в моей памяти, в моем сердце раз и навсегда. И когда я вспоминаю о нем, город всплывает перед моим внутренним взором вот таким, каким я увидел его в тот день, во всей простоте и незыблемости: черепичные крыши домов, толевые кровли сараев, кроны каштанов и лип, чешуйчатые мостовые, блеск реки и железнодорожных путей, а еще — тихий гул ветра и частый стук сердца.

Другой жизни у меня не было, как у греков не было ничего, кроме Трои, которую они так проклинали. У меня достаточно причин для того, чтобы вспоминать о родном городке без радости: жизнь наша была скудной, унылой, иногда — непристойной, подчас — жестокой и унизительной, почти всегда — невыносимой. Но я снова и снова поднимаюсь по той винтовой лестнице, заляпанной голубиным пометом, и с замирающим сердцем выглядываю в окно.

Эту болезненную потребность — чем ее объяснить?

Я не принадлежу, а может, никогда и не принадлежал к тем людям, которые считают, что в воспоминаниях о детстве, о родном городе человек черпает новые силы или приобщается к той духовной чистоте, которая якобы свойственна детству, невинной жизни на лоне природы и т. п. Весь мой опыт восстает против этого примитивного руссоизма.

Однако эта потребность существует, и от нее не уклониться.

Я думаю, речь идет о стремлении человека к восстановлению собственной целостности.

Настоятельница Рупертсбергского монастыря Хильдегарда Бингенская, великая пророчица и святая, жившая в XII веке, утверждала, что человек, изгнанный из рая, портится, лишается речи, то есть смысла жизни, и его болезнь — не событие и не процесс, а состояние дезинтеграции, а его воля — это воля к небытию. Образ жизни такого человека и все его проблемы, физические и духовные, святая Хильдегарда связывала с modus deficiens — состоянием недостаточности, с дефицитом божественности. Исцеление человека достижимо лишь на пути к целостности, в конце которого человек обретает смысл жизни и цель. Бингенской святой на свой манер вторит Мартин Бубер, который как-то заметил, что еврейское слово «конец» (в выражении «конец света») означает «цель». Мир, движущийся к неизбежному концу, обретает цель, придающую смысл человеческому существованию.

Наверное, именно с той поры, с того дня, когда я побывал в башне, я и считаю своим городом только тот, который можно окинуть взглядом. Я всех в нем знаю, или их знают те, кого знаю я, и они знают меня.

Платон признавал самым удобным то число, которое обладает наибольшим количеством последовательных числителей, а число 5040 имеет 59 делителей, последовательных же — от единицы до десяти. Именно столько — 5040 — должно быть жителей в идеальном городе Платона. Математик Герман Вейль писал, что с точки зрения величины нет особой разницы, будет ли число жителей города 5040 или 5039. А вот с точки зрения теории чисел между ними расстояние — как от земли до неба. Число 5040 равно 2x3²x5x7, то есть имеет много частей, тогда как 5039 — простое число. Если в идеальном платоновском городе ночью умрет один житель и число жителей уменьшится до 5039, то весь город придет в упадок. То же самое случится, если число жителей увеличится до 5041-го. А когда это случается, в городе появляются убийцы, проститутки, фальшивомонетчики и лжепророки.

Когда я родился, в моем городе стало 5040 жителей.

И столько их и осталось навсегда в моей памяти.

До переезда на Семерку мы жили рядом с бумажной фабрикой, на улочке, состоявшей из трех домов, и занимали в первом этаже двухкомнатную квартиру с большой кухней, но без туалета, а мыться ходили в городскую баню. От вымощенной шведским гранитом дороги нас отделяли железнодорожная линия, по которой паровоз то и дело таскал на фабрику вагоны с целлюлозой, силикатным клеем и каолином, и водокачка — водопроводная станция — одноэтажное здание, окруженное голубыми елями и проволочным забором.

Хозяином водокачки был Калитин, веселый выпивоха и мастер на все руки: он отвечал за все водопроводное хозяйство в городке, заведовал фабричным клубом и крутил кино. Но больше всего он славился своей коптильней, которая стояла рядом с водокачкой, за забором.

Все мальчишки мечтали о калитинском копченом сале. До него было рукой подать — оно висело на крюках в коптильне, из-под крыши которой тянуло дымком. Сало, много сала с прожилками мяса. Восхитительное, дивное, потрясающее, вкусное, как ананас. Отец говорил, что у матери получаются не щи, а настоящий ананас. Он никогда не пробовал ананас, даже не знал, как ананас выглядит, но в городке все так говорили, когда речь заходила о чем-нибудь очень-очень вкусном. Калитинское сало было ананасом. Мы бредили этим салом и чуть не каждый день заводили разговоры о том, как было бы здорово отвлечь калитинских овчарок, бегавших за забором без привязи, и украсть хотя бы небольшой кусочек этого чудного сала.

Вообще-то сало было едва ли не основой нашего тогдашнего рациона. Сало, вареная картошка, молоко, простокваша, селедка. Ну и хлеб, конечно, липкая кисловатая черняшка по двенадцать копеек, которую часто использовали вместо замазки, когда закупоривали окна на зиму. Но домашнее сало было простым салом, с чесноком и солью, а калитинское — копченым, никто из нас никогда такого не пробовал.

Кто-то из ребят рассказывал о парне, который однажды забрался в коптильню и попал в волчий капкан. Калитин подвесил парня за ребро на крюк, подкоптил, а потом науськал на несчастного своих псов.

В Питере — так назывался поселок за фабрикой и маргариновым заводом — жили цыгане, воровавшие у горожан кур и кроликов, поэтому почти в каждом сарае жил сторожевой пес, который рычал на прохожих из-за двери. В курятниках, крольчатниках, свинарниках и даже в коровниках и дровяниках — за каждой дверью вора поджидал лютый пес. Или капкан. Или хозяин с ружьем, заряженным ядовитыми пулями.

Однажды мужчины поймали на чердаке цыганенка, который пытался украсть белье — простыни, наволочки, женские ночные рубашки. Его сволокли во двор, повалили и принялись избивать — молча, жестоко, и мальчишка тоже молчал, закрывая голову тонкими черными руками. Когда цыганенок захрипел, мой отец спустился с крыльца и остановил мужчин. Он взял мальчика за шиворот и повел между сараями вниз, мимо огородов, к болоту, вдоль которого тянулась тропинка, выводившая к фабрике. Я думал, он убьет воришку — утопит в болоте или оторвет голову, как наш сосед дядя Витя Колесов отрывал головы крысам — двумя пальцами-крючками, указательным и средним. Но отец отпустил мальчишку. Дал щелбана и отпустил.

Когда он вернулся во двор, дядя Витя Колесов сказал: «Спасибо, Василий Иванович, ты нас от тюрьмы отвел». Отец скользнул по нему взглядом и молча ушел в дом.

Меня пробрал страх: я еще никогда не видел его таким. Он был спокоен, но мужчины расступились и попятились, когда он направился мимо них к крыльцу. От него веяло чужестью, холодом, ужасом, обреченностью и еще чем-то — чем-то, что страшнее ужаса, это было тяжелое, болезненное, новое чувство — чувство оставленности, но тогда в моем словаре не было ни слова «оставленность», ни слова «одиночество».

Моя мать не боялась ни Калитина, ни собак, ни цыган, ни паровоза, ни мужа — она боялась только ивовых зарослей на берегу Лавы. Они тянулись до фабрики, до того места, которое все называли Говнянкой: там, на высоком берегу, уступами располагались отстойники, где выдерживался каолин, белая глина, прежде чем попасть в бумагоделательную машину. Из отстойников в реку постоянно стекала белая жидкость, и там хорошо клевала рыба. Весной и осенью ивняки затапливало полой водой, а летом в них справляли нужду дети и выпивали взрослые.

Однажды на крошечной полянке у ручья, протекавшего через ивовые заросли, мы наткнулись на мою няньку Нилу. Она лежала на боку среди окурков, экскрементов и битых бутылок, голая, грязная, на бедре у нее сидел лягушонок, который при нашем приближении скакнул в траву.

Нила была крепкой деревенской девчонкой, толстоногой, грудастой и довольно глупой, но не злой. Когда я упал с дерева и ободрал коленку, она схватила меня в охапку и стала языком зализывать рану.

— Йод же есть, — сказала мать. — Или зеленка.

— Человеческий яд полезнее, — возразила Нила.

Если я просился в кино, она звонила моей матери и спрашивала, какую монетку мне дать — большую желтую или маленькую белую. До шестнадцати лет она не умела ни писать, ни читать, а считала на пальцах. Старшие мальчишки — братья Костылевы — загоняли ее за сараи и лапали, а она била их коленом по яйцам.

А вот перед веселым выпивохой Калитиным девчонка устоять не могла.

Благодаря Ниле я попал в святая святых — за забор водопроводной станции — и впервые попробовал божественного калитинского сала. Калитин ставил передо мной чернильный прибор с ручкой-вставочкой, клал на стол пачку бумаги и кусок копченого сала с хлебом, разрешал крутить ручки настройки радиоприемника «Телефункен», а сам уводил Нилу посмотреть на ульи, которые недавно поставил вдоль ограды со стороны болота.

В окно мне было видно, как Нила ложилась на деревянную кушетку, стоявшую между голубыми елями, и закрывала лицо платком, а Калитин склонялся над нею, залезал рукой под платье, и Нила не била его коленом по яйцам, а жевала платок, мотала головой и подпрыгивала, вскидывая свои толстые ножки и сотрясая кушетку.

Потом Калитин давал нам кусок сала и баночку меда, и запыхавшаяся, потная, красная Нила вела меня домой, жалким голоском упрашивая ничего не говорить «дяде Васе» и «тете Зое», то есть моим родителям.

Ну, конечно, я обещал молчать: ради калитинского сала я готов был на все.

Вдобавок Нила совала мне десять копеек на кино — из тех беленьких, что дарил ей при каждой встрече Калитин: «Заработала».

Вернувшись домой, я позвонил на фабричный коммутатор, попросил телефонистку соединить меня с Зоей Михайловной и рассказал о Ниле.

— Боже! — закричала мать. — Ты ходил на речку! Ну Нила!..

Вдруг осеклась, сообразив, что Ниле уже ничего не грозит.

Через полчаса на берегу собралась огромная толпа. Сюда сбежались жители окрестных домов, люди с бумажной фабрики и маргаринового завода, из Красной столовой, с лесопилки и железнодорожной станции, приехали милиционеры в черной форме, грузовик с солдатами из комендатуры. Солдаты оттеснили толпу и оцепили ивовые заросли.

— Колесов! — закричал кто-то. — Это урод Колесов! Он опять сбежал! Урод сбежал!

Урод был старшим братом дяди Вити Колесова. Это был рослый улыбчивый мужчина, которого в драке наших с цыганами так хватили пряжкой ремня по голове, что он навсегда забыл свое имя. Брат держал его под замком в сарае. Урод при помощи ногтя проделал в двери дырочку, в которую высовывал член и мочился на прохожих. Несколько раз он сбегал, носился по городку голышом, приставал к детям и женщинам, но сдавать его на мыло или сажать на цепь дядя Витя отказывался: «Брат все же».

Отец не раз прогонял Нилу от сарая — ее так и тянуло к уроду. Ей нравилось разговаривать с ним. Иногда они играли. Она просовывала указательный палец в дырочку, и урод принимался его сосать. А потом, чтоб все было по-честному, она сосала его палец, который был так велик, что еле умещался у нее во рту.

— У него этот палец без ногтя, — шепотом рассказывала мне Нила. — Он этот ноготь цыганам на пуговицы продал.

Нилу завернули в простыню и увезли на дежурной машине в морг.

А вскоре милиционеры схватили урода Колесова. Оказалось, что он действительно убежал, но потом вернулся в свой сарай, забился в угол и затаился. Когда милиционеры вытащили его во двор, урод вдруг завопил, заколотил ногами, стал вырываться, но мой отец накинул ему на голову мешок, и урод тотчас затих. Из сарая вынесли платье и сандалии Нилы. Женщины запричитали, заплакали.

Тело Нилы забрала тетка — она увезла ее в деревню, где и похоронила.

Через несколько дней был арестован Калитин. На следствии он признался в убийстве Нилы. Она была беременна, Калитин не хотел скандала — у него была жена и двое детей — и задушил девчонку. На суде он то и дело повторял: «У меня ж семья, понимаете? Семья...» Выяснилось вдруг, что во время войны Калитин служил в немецкой карательной команде. Следствие затянулось. Привезли свидетелей из Белоруссии, которые опознали Калитина. Его приговорили к расстрелу.

В городе все знали о том, что Калитин давал своему сыну копейку всякий раз, когда тот находил в прическе отца седой волос и вырывал его: Калитин не хотел стареть. Во время оглашения приговора голова его стала сплошь белой — он поседел за час. Люди говорили: «Поседел сразу на сто рублей». Про его сторублевые седые волосы еще долго помнили.

Несчастного урода Колесова отправили в специнтернат, и вскоре все забыли о нем.

Отца повысили — он стал заместителем директора фабрики, и нам дали квартиру на Семерке, в другом конце городка.

Кур и кроликов решили взять с собой, а вот поросенка пришлось заколоть. Это сделал старик Добробабин. Ему же досталась первая кружка свиной крови — выпил он ее жадно, звучно глотая, и кровь текла по его заросшему кадыкастому горлу. Пащая на сводила с него взгляда и сглатывала всякий раз, как глотал старик.

Во дворе расставили столы, мать и тетя Лида нажарили свежатины, разлили по стаканам водку, Леха Байкалов рванул гармонь, и Вероника Андреевна Жилинская с безногим своим мужем на два дивных голоса исполнили «Ой да не вечер», а потом пели все, и ели скудную еду, и пили водку, поднимая тосты за победу, дядя Витя Колесов учил меня крутить «козью ножку», Костылев-старший рассказывал в десятый, наверное, раз о своей драке с немцем, у которого он оторвал руку, а она оказалась протезом, Пащая прижималась бедром к кавалеру Добробабину, мимо с тяжким грохотом проходил паровоз, который тащил на фабрику вагоны с каолином, а потом подошел грузовик — в кузов поставили клетки с курами и кроликами, два стола, четыре стула, разобранные кровати, бросили мешки с одеждой, мать с малышкой посадили в кабину, отец расцеловался с соседями, помог мне забраться наверх, смуглянка Верочка забежала за дерево, повернулась спиной и задрала платье, чтобы напоследок подразнить меня голой своей попой, грузовик сдал, я плюхнулся на сложенное вдвое одеяло, Леха Байкалов рванул меха и пошел за машиной, играя

«Прощание славянки», — так мы отбыли на Семерку, в другой мир.

Кавалер Добробабин вскоре женился на Пащей, у них родился мальчик, а через пять лет старик умер. Старшая дочь Пащей по окончании школы поступила в милицейское училище. С ее младшей сестрой я иногда сталкивался в школе, но старался избегать ее: мне было ужасно стыдно вспоминать о том, как я лизал холмики и ямочки этой толстой уродины со свиными глазками. После школы она где-то училась, а потом стала надзирательницей в женской колонии. Сын Пащей от старика Добробабина стал офицером, пилотом стратегической авиации.

Витя Колесов спился и умер, а его красавица Крыся вышла замуж за вдового подполковника и уехала с ним в Среднюю Азию, где, говорят, стала генеральшей.

Судьба братьев Костылевых сложилась по-разному: старший погиб на Даманском, средний таскался из тюрьмы в тюрьму, а младший стал известным капитаном рыболовного траулера, Героем и гордостью семьи.

Мой молочный брат Женька, командир роты десантников, погиб в Афганистане, в Пандшерском ущелье.

Вероника Андреевна и ее безногий муж прожили долгую жизнь, умерли в один день и были похоронены рядом на новом кладбище, на самой вершине холма, а их дочери стали сельскими учительницами, женами сельских учителей.

Леха Байкалов умер от внезапной остановки сердца, и рыжая его кривоногая вдова Зинка больше никогда не выходила замуж, вернулась к старухе матери, чтобы выгуливать по ночам свою страшную дочь — Люболю...

А на первомайские и октябрьские демонстрации людей вскоре стали попросту загонять: старшее поколение повымерло, поспивалось, засело у телевизоров, а молодые толпами сбегали из праздничных колонн, так что к площади добиралась лишь жидкая кучка малых детей и стариков с флагами и портретами членов политбюро. Неизменными еще долго оставались только военные парады: «Побатарейна-а-а! На одного линейного! Арш!», оркестры, кирзовые сапоги, высекавшие искры из доисторической мостовой, и офицер в фуражке с лаковым козырьком, нечеловечески высоко вскидывавший свои великолепные саблеобразные ноги в блестящих сапогах...

Глава 2. Семерка

Веселая Гертруда появилась внезапно. В кронах лип по всей улице вдруг вспыхнули фонари, и передо мной возникла старуха — высокая, костлявая, косматая, в ватнике с чужого плеча и босая. Она всегда ходила босиком, что летом, что зимой. Я не успел испугаться, как она провела рукой в воздухе над моей головой, словно хотела погладить, и исчезла. Я перевел дыхание.

Гертруда была немкой. Это не укладывалось в моей голове. В кино немцы были грубыми и жестокими. Они кричали «хайль Гитлер», громко хохотали и стреляли из шмайсеров. Все они были фашистами и солдатами, воплощением буйного зла. А Веселая Гертруда была тихой сумасшедшей. С утра до вечера она подметала нашу улицу, приплясывая и напевая: «Зайд умшлюнген, миллионен... зайд умшлюнген...»

Мать, немного владевшая немецким, объяснила, что Гертруда хочет, чтобы миллионы людей обнялись, но зачем миллионам обниматься — этого даже мать не знала. Взрослые жалели Гертруду: в конце войны она потеряла дочь и мужа.

А мы кричали из кустов: «Хенде хох!» и стреляли в старуху из деревянных автоматов. Она опускала метлу, оборачивалась и смотрела на нас огромными своими глазами. Лиловые губы ее шевелились и дрожали. Нам было весело.

Снова пошел дождь — мелкий, ледяной, черный.

Вернувшись домой, я подобрал в коридоре газеты и журналы, которые почтальонка просовывает в щель, прорезанную ниже стекол во входной двери и окаймленную медью, принес из подвала три ведра угля и растопил обе печки и плиту, занимавшую треть кухни. Этому научил меня отец: первым делом следовало освободить топку и поддувало от золы, вынести ее во двор, в бочку, потом открыть заслонки в дымовых трубах, разжечь огонь и выложить немного угля на пылающие щепки, дождаться, когда он займется, после чего можно кидать уголь в топку совком — три, четыре, пять совков с верхом, закрыть дверцу, а минут через десять-пятнадцать открыть, пошурудить в топке кочергой, добавить угля, поставить мокрые ботинки к печке, вымыть руки с мылом и смазать вазелином, чтобы не было цыпок.

Часы на подоконнике показывали семь.

Отец на работе, мать в командировке, сестра в садике, дружок Вовка болен свинкой — к нему нельзя. В продленке накормили гречневой кашей с пряной свининой из железных банок — я был сыт, хотелось только пить. Из-под крана нельзя — у меня *плохие гланды,* в графине рыжие хлопья на дне, а в кладовке ничего, кроме прокисшего молока.

Уроки я сделал, по радио «пилят симфонию», как выражается отец, остается одно — чтение. Отрывной календарь на 1962-й я уже знаю наизусть, сказки и любимый седьмой том детской энциклопедии — с рыцарями и парусниками — это на сладкое.

Рядом с этажеркой в комнате — пачки черных книг с красным корешком и золотым ромбом на обложке, в котором красуются пятиконечная звезда, буквы «БСЭ», колос и шестеренка. Эти разрозненные тома Большой советской энциклопедии под редакцией Шмидта отец принес со Свалки. Несколько дней книги лежали подальше от печки, источая запах наволгшей бумаги. Листать тома нужно было осторожно, чтобы ненароком не порвать страницы. Цветные иллюстрации защищены папиросной бумагой, тьма-тьмущая рисунков — самолеты, гидроэлектростанции, паровозы, схемы и портреты, очень много рисованных портретов.

Я беру из стопки книгу наугад и возвращаюсь в кухню, где от плиты уже веет теплом.

Двенадцатый том: «Воден — Волховстрой». В списке редколлегии фамилии Бухарина, Покровского и Осинского тщательно замараны чернилами, в списке редакторов отделов и подотделов точно так же зачеркнута фамилия Тухачевского. Всюду овальные штампы: «Библиотека п/я № 4109», «МВИУ, парткабинет», «Учебная библиотека МКВИУ». Коричневая вклейка сообщает: «Редакция Большой Советской Энциклопедии уведомляет подписчиков, что вследствие незаконченности работы по статье ВКП (б), идущей в XI томе, следующий за ним XII т. выпущен в необычном порядке последовательности; XI т. выйдет в свет в феврале 1929 г.». На следующей странице сообщается о смерти Ивана Ивановича Скворцова-Степанова, одного из основателей БСЭ, члена Президиума Редакции, и Зиновия Петровича Соловьева, редактора Отдела Медицины. Что такое «п/я», «Президиум» или «ВКП (б)» — я не знаю, но читаю все подряд: водоснабжение, военная промышленность, Волга, волосатики, Волошин...

Хлопнула дверь — пришел отец.

Он проверяет печки, подбрасывает угля в плиту, ставит на конфорку сковороду с картошкой, включает радио. Мы ужинаем котлетами из фабричной столовой, которые отец принес в бумажке. Я ем не торопясь, чтобы растянуть удовольствие. Мать не понимает, почему ее котлетам — пухлым, жирным, ароматным — я предпочитаю тощие фабричные.

Из гостиной — это большая пустая комната с радиолой в углу — доносится телефонный звонок. Отец уходит.

Доедаю котлету, слушая радио: Хрущев, Кеннеди, Фидель Кастро, Лаос... трам-тарарам... концерт по заявкам радиослушателей начинается с «Коммунистических бригад»...

— Я на гидропульперный, — говорит отец, вернувшись от телефона. — Если наденешь сапоги, возьму с собой.

Не верю своим ушам.

Гидропульперный участок бумажной фабрики — в городке все называли его Свалкой — находился в списке «нельзя». Мне туда нельзя. Мне нельзя на реку — там дамба, плотина и черный шлюз, нельзя приближаться к железной дороге, которая тянется параллельно Семерке метрах в двухстах от нашего дома, нельзя заглядывать в колодец, нельзя открывать дверь цыганам и солдатам, нельзя бегать по улице босиком, потому что повсюду — обломки кирпичей и черепицы, осколки стекла, ржавые гвозди, нельзя подбирать окурки, нельзя направлять на людей игрушечное оружие, нельзя жевать пековую смолу, которая лежит горами у толевого завода, нельзя собирать яблоки на кладбище, нельзя выходить из дома в грязной обуви...

Я вытаскиваю из кладовки сморщенные и пыльные кирзовые сапоги, размазываю крем тряпкой, потом надраиваю щеткой. Отец проверяет, почистил ли я сапоги сзади, выключает радио, надевает кожаное пальто до пят, кепку, резиновые сапоги, и через несколько минут мы выходим из дома. От моих сапог на версту разит скипидаром.

Поздний вечер. Черный дождь. Улица пустынна.

Когда мы минуем детский сад, отец берет меня за руку: он знает, что я боюсь морга, притаившегося в глубине невысокого холма за больничной оградой. Минут через пять мы сворачиваем налево, к железнодорожному переезду. Слева остается хлебный магазин, справа — развалины тюрьмы: провалы высоких окон, осыпи битого камня, фигура Фемиды, торчащая из стены над гранитными ступенями входа.

У переезда высится водонапорная башня из красного кирпича, ее коническая крыша с медным шишаком теряется в темноте. На знаке «Берегись поезда» хулиганы зачеркнули букву «о» во втором слове, но я знаю, что слово, которое должно было получиться, пишется через «и». Мы терпеливо ждем, пока женщина в шинели поднимет полосатый шлагбаум. Переезд — очень опасное место. Недавно здесь под колесами поезда погибла старуха, бросившаяся спасать своего теленка, и их внутренности так перемешались, что старуху похоронили с телячьим сердцем в груди. На Страшном суде она не сможет отвечать на вопросы — будет только мычать.

За переездом мы сворачиваем направо и идем вдоль ограды кладбища, за которой клубятся темные купы громадных деревьев. Оттуда тянет густым смолистым запахом туи. На переменах мы играем среди надгробий в догонялки, а в склепах с чугунными дверями уборщицы хранят ведра и метлы.

Через кладбище проложены несколько дорожек, однако ночью здесь не по себе даже взрослым. Школьный завхоз рассказывал, как однажды в полночь столкнулся на кладбище с девочкой в белом. Она вышла из-за огромного мраморного креста, произнесла медовым голосом: «Майн либе», и тут завхоз обоссался: «Под Сталинградом ни разу не обоссался, а тут — обоссался, самым честным образом — обоссался». Завхоз малоросл, кривоног, на левой руке у него не хватает двух пальцев, а рот полон железных зубов. Он живет в двухэтажном домике у кладбища, держит двенадцать свиней и тайком продает литовцам мраморные надгробья с немецких могил. Отец называет его мародером и никогда не здоровается за руку.

За домом завхоза открылась школа — единственная средняя школа в городке: строгое трехэтажное здание в форме буквы П, из красного кирпича, с черепичной крышей, правая ножка буквы П — одноэтажная, там спортзал. Слева от ворот на круглом белом постаменте, стоящем посреди цветочной клумбы, — три борющихся гипсовых мальчика, их изваял учитель рисования, работавший с Макаренко в харьковской колонии. Высоко над входом в школу — огромные часы.

После войны здесь был военный госпиталь, потом сельскохозяйственное училище, а теперь сюда по утрам бегут полторы тысячи учеников — мальчики в серых гимнастерках и девочки в черных фартуках. Зимой в классах стоит удушливый запах скипидара, которым смазывают сапоги, и «ахтиолки»: у многих мальчишек на шеях чирьи и повязки с ихтиоловой мазью. Каждый день врачи проверяют детей на педикулез, после чего многих мальчиков стригут наголо, а девочек заставляют мыть голову с дустом.

Мы прошли через школьный двор, мимо спортзала с зарешеченными окнами, мимо пахучих сараюшек с курами и свиньями, под огромными каштанами, спустились по улочке, вымощенной крупным булыжником, миновали высокие кирпичные ворота и повернули к Свалке.

Свалка располагалась на берегу узкого канала. Это был сильно вытянутый асфальтовый треугольник с дебаркадером и кирпичным сараем, в котором находилась мельница — ее горловина на метр возвышалась над полом. Макулатура в мельнице превращалась в густую кашу, которая по фанерным трубам поступала на картоноделательную машину, а картон потом отправляли на толевый завод, где его пропитывали пековой смолой.

Днем и ночью со всего северо-запада Союза на Свалку приходили железнодорожные составы с макулатурой, днем и ночью женщины в ватниках и резиновых сапогах бросали вилами в горловину ревущей мельницы книги, газеты, журналы.

Вскоре после того как Советский Союз поссорился с Китаем, сюда, на Свалку, потянулись вагоны с трудами Мао Цзэдуна, изъятыми из всех мгазинов и библиотек. Тогда на нашей этажерке появился сборник стихов Мао — тоненькая книжечка в бумажной обложке.

Многие жители городка приходили на Свалку за книгами. Сюда и раньше везли библиотеки из расформированных дивизий и военных училищ, а после января 1960 года, когда Хрущев принял решение о сокращении армии на треть, эшелоны с книгами пошли потоком. Люди тащили домой Тургенева и Пушкина, Бабаевского и Семушкина, энциклопедии и словари...

Гонять воришек было некому: Свалку охраняли пожилые женщины да наш бывший сосед — безногий Илья, муж Вероники Андреевны Жилинской, разъезжавший по дебаркадеру на тележке с подшипниками вместо колес.

Поздоровавшись с Ильей, отец толкнул дверь в дежурку.

За дощатым столом, над которым во всю стену распласталась карта железных дорог СССР, грузчики играли в домино. Среди них по всем статьям выделялся Иван Ковалайнен, бригадир, огромный мужчина с железными зубами и шрамом во всю щеку. Он курил самокрутку чудовищной величины. Отец перекинулся с Ковалайненом несколькими словами и сел за стол. А я устроился в кресле, которое стояло в дальнем углу дежурки, и закрыл глаза.

Наша улица носила имя генерала Черняховского, но все называли ее Семеркой. Говорили, что в первые дни после войны улицы в городке были пронумерованы — в ожидании постоянных названий, новых, русских. Наша улица тогда значилась на городской карте под номером семь.

Мне нравилась Семерка.

Улица, на которой мы жили раньше, возле водокачки, была тупиковой, железная дорога — короткой веткой от станции до фабрики, мы играли между сараями, из которых доносились собачий лай и хрюканье свиней. Я возвращался в двухкомнатную квартирку, где теснилась наша семья с нянькой.

А осенью в кухне на мешках жил старик, который валял нам всем валенки, и в доме воняло шерстью.

Теперь мы занимали просторную квартиру в первом этаже немецкого особняка, с ванной и туалетом, у нас были свой двор и сад, а на чердаке, где пахло сосной и яблоками, стояла цистерна, в которую при помощи электрического насоса набирали воду из садовых колодцев, чтобы потом она текла из наших кранов.

Семерка, вымощенная булыжником и красным кирпичом, выводила в поля, а железная дорога начиналась на берегу Балтийского моря и тянулась до Москвы и дальше, дальше — аж до Тихого океана.

Мы уже съездили всей семьей на море, в Светлогорск, и я видел настоящий горизонт — место, где кончается свет. Там угасал яркий свет советской жизни и начинался мрак жизни чужой, враждебной. Мы жили на краю света.

Правда, и тут, на Семерке, донимал телефон. Он висел на стене за дверью моей комнаты. И каждый вечер, когда я укладывался спать, отец снимал трубку и начинал разговор с неведомым «диспетчером». «Диспетчер! — кричал он. — Целлюлозы на фабрике осталось на сутки! Через сутки фабрика остановится! Диспетчер! А что с макулатурой? С макулатурой — что? Не надо больше сажевой! Сажевой — не надо! Диспетчер, алё!..»

Вскоре, однако, разговор заканчивался, по стенам комнаты пробегал свет — это мимо дома проходил последний пассажирский на Москву, стук колес стихал, и я засыпал.

После школы мы с ребятами провожали поезда, увозившие новобранцев на восток. Этот загадочный восток начинался где-то там, за парком, где среди деревьев терялся красный огонек последнего вагона. Новобранцы стояли в широких дверях товарных вагонов, свистели, кричали и кидали нам шапки, перчатки, перочинные ножички, шарфы — на память. Мы набрасывались на добычу, и однажды мне досталась шапка. Обыкновенная дешевая кроличья шапка. Мать пришла в ужас, когда я принес добычу домой, и долго кричала про вшей и туберкулез, которые населяют чужие шапки. В конце концов она ее выбросила. Я был огорчен: почти все мои дружки щеголяли в «солдатских» шапках, а мне приходилось довольствоваться «кромкой».

Кромкой назывались обрезки сукна. При помощи сукна, натянутого на стальные валы бумагоделательной машины, просушивалась бумага. Отработанное сукно резали на куски и продавали за копейки рабочим и служащим фабрики на вес. Это пропитанное каолином сукно вымачивали, отмывали и распускали на нитки. Половина города ходила в шапках, шарфах, свитерах и рукавицах, связанных из кромки. «Не всякий английский лорд может позволить себе такую дорогую шерсть», — говорили в городке. Мне было жаль английских лордов, которые носили такие колкие свитера, словно сделаны они были из битого стекла.

В конце Семерки стоял клуб бумажной фабрики — двухэтажное здание с кинозалом, буфетом, библиотекой, бильярдной и летней верандой для танцев.

Кино в клубе показывали четыре раза в неделю. Афиши вывешивали возле магазинов, и на них обязательно писали «цветной», «ш/э» (широкоэкранный), а еще «Франция», «Индия» или «к/с им. Довженко».

Помню, как поголовно рыдали взрослые на «Судьбе человека», как все мальчишки после «Человека-амфибии» стали «Ахтиандрами» и как все-все-все осаждали кассу, если обещали индийский фильм — «Господин 420», «Четыре дороги», что угодно с народным героем Раджем Капуром, «товарищем Бродягой» и «голубоглазым королем Востока».

А за клубом начинался старинный тенистый парк с зигзагообразными линиями траншей — здесь немцы пытались остановить наступление советских войск на Велау, а теперь мы ползали по зараставшим траншеям, играя в войнушку.

От клуба вдоль Преголи тянулась высокая дамба — к шлюзу и дому шлюзника Смолокурова, в семье которого рождались только дураки и дурочки. Старшие дураки Алик и Вита ходили по дворам — за небольшую плату кололи дрова, вскапывали огороды. Наша учительница называла их словом, которое было невозможно выговорить с первого раза: *гориллоиды.* Мы дразнили Виту, он вспыхивал, бросался в погоню, догонял, плевался, и больше всего мы боялись, что его плевок попадет в глаза, оставив нас слепыми на всю жизнь. Сестры Алика и Виты без присмотра бегали в мужских майках на голое тело и то и дело беременели. Детей, которых они рожали, как говорил сосед дед Семенов, сдавали на мыло.

Между дамбой и нашим садом лежала низина, изрезанная мелиоративными канавами. Здесь, в низине, на насыпи был устроен стадион — с оградой, домиком под черепичной крышей, где переодевались футболисты, скамейками для зрителей и даже с высокими дощатыми воротцами, на которых вывешивались фанерные цифры — счет матча.

Утром в воскресенье сюда под звуки духового оркестра — его называли паровым, потому что в нем были только трубы и барабан, — стекались сотни людей, на поле выбегали наши, фабричные, и враги — клайпедские бугаи или команда воинской части, составленная сплошь из «кацо» — многие их называли по старой привычке «нацменами». Мы лежали за воротами, бегали за мячом, закатившимся в колючки, и орали: «Судью на мыло!»

В перерыве мужики раскидывали газетки на траве за скамейками, выпивали и закусывали, а после матча застолье устраивалось в домике под черепичной крышей, где игроки принимали от директора фабрики поздравления с выигрышем и пили из кубка круговую или пили с горя, а потом били тренера и судью.

Были у меня, конечно, и докучные обязанности. С утра надо было прополоть грядки, нарвать травы для кроликов — целый мешок травы, желательно клевера.

Но самыми мучительными были походы за белым хлебом. Мне казалось, что весь мир помешался на этом белом хлебе. Я брал сестру за руку, и мы отправлялись в хлебный, где толпа распаренных и разъяренных женщин зло и зорко следила за тем, чтобы никому не досталось «больше двух в одни руки». Они кричали и толкались, и однажды — мы уже вырвались на крыльцо — кому-то показалось, что нам досталось хлеба больше, чем остальным. Нас столкнули с высокого крыльца. Сестра полетела вниз головой — ее едва успел подхватить дурак Вита Смолокуров, проходивший мимо. Я не знал, что делать. Поблагодарить дурака? А вдруг плюнет в глаз? Но Вита поставил девочку на ноги, пробормотал что-то и ушел не оглядываясь.

Из-за этого белого хлеба, из-за коммунизма, кукурузы и неоплаченных облигаций все проклинали Хрущева. Когда я спросил соседа Семенова, правда ли, что я буду жить при коммунизме, он сказал, что первым в коммунизм попадет Хрущев — вперед ногами. В городке с гордостью говорили, что «именно мы бросили камень в окно поезда», когда Хрущев ехал в Калининград, чтобы сесть на корабль и отправиться в какую-то загранпоездку.

Родители дома про это не говорили. Думаю, для них, выросших и с трудом выживших при Сталине, сама мысль о том, что можно вот так, открыто, вслух ругать руководителя государства, была кощунственной. Да и опасной: после XX съезда людей по-прежнему сажали «по пятьдесят восьмой» за антисталинские и антихрущевские высказывания. Бухгалтера Одинокова, которого все называли Белой Молью, — летом он ходил в белых матерчатых туфлях, в белом полотняном костюме с белыми пуговицами, в белой шляпе, с белым зонтом, и брови у него были белыми, — арестовали в 1958 году за то, что он «сознательно разбил молотком» бюст Сталина, стоявший на сцене в фабричном клубе.

Но над коммунизмом посмеивались даже мои родители.

Иногда я один уходил в конец Семерки, за парк, ложился в траву на склоне, с которого открывался головокружительный вид на пойму Преголи, на Таплаккенские холмы и дальние леса. Солнце высвечивало в ранней летней зелени цыплячье золото, пахло мятой, зверобоем и сладкой цветущей липой, птичьи голоса то усиливались, то стихали вовсе, высоко в небе кружила пара аистов, где-то далеко мычала корова — протяжно и лениво, в мелкой листве воробьиного винограда, оплетавшего поваленную осину, слитно гудели насекомые, был июнь, смерти не было...

Я очнулся от паровозного гудка и тяжкого железного лязга.

Отец надел кепку, грузчики зашевелились.

К дебаркадеру подали состав с макулатурой — четыре вагона.

Паровоз отцепился и пошел задом, скрылся в темноте.

Дебаркадер был ярко освещен огромными прожекторами, установленными на вышках по углам разгрузочной площадки. Сеял мелкий дождь.

Бригадир Ковалайнен вразвалочку подошел к вагону, погремел запором, с шумом откатил дверь, посветил фонариком.

К Ковалайнену подошли грузчики, мы с отцом, подкатил на своей тележке Илья.

Я заглянул в вагон. Передо мною была стена из книг, на корешках которых золотом было вытеснено одно и то же имя — «И. В. Сталин». Не знаю, была ли то биография Сталина, выпущенная каким-то невероятным тиражом (кажется, 14 миллионов экземпляров), или собрание его сочинений. Помню только золотые буквы на корешках — «И. В. Сталин» — от пола до потолка, во весь дверной проем.

Шестьдесят тонн Сталина в каждом вагоне, двести сорок тонн — в этих четырех, что стояли у дебаркадера. И на станции дожидались своей очереди еще пятьдесят вагонов. И на подходе к станции — сотни вагонов. На пути к Смоленску, Минску, Вильнюсу, Черняховску. Тысячи вагонов, сотни паровозов. Они шли из Москвы, Ленинграда, Пскова, Новгорода, Таллина, Риги, Клайпеды, Каунаса. Тысячи тонн Сталина. Тысячи кубометров.

На дебаркадере было так тихо, что мне стало не по себе.

Я обернулся.

Когда глаза привыкли к свету прожекторов, я разглядел лица всех этих мужчин — моего отца,

Ковалайнена, дяди Вани Олимовского, отца моих школьных дружков, дяди Васи Горелова, трижды горевшего в танке, Сергея Сергеича, безногого Ильи, истуканом сидевшего на своей тележке, Казика, который называл себя «карагандинским литовцем», молодого Юрани, Коли Полуторки... На их лицах не было ни удивления, ни печали, ни радости, но это были не тупые, не равнодушные лица, и по ним было видно: что-то происходит, что-то важное, до чего я пока не дорос... и еще я понял с какой-то внезапной и горькой отчетливостью, что совершенно не знаю и не понимаю этих мужчин, даже своего отца... эти минуты на дебаркадере были для них той частью их жизни, которая была их чудом и их тайной, мне недоступными...

Отец быстрым шагом направился к дежурке.

Грузчики закурили. Все молчали.

Через пять минут отец вернулся. В руках у него была хозяйственная сумка.

— Начинайте, — сухо приказал он. — Коля... — К нему подошел Коля Полуторка, шофер. — Сгоняй в дежурку, возьми на все. — Отец протянул шоферу деньги. — Скажи Зине: я приказал.

Зиной звали продавщицу дежурного магазина.

Отец распахнул сумку, в которой лежали несколько бутылок водки. Грузчики пили из горла, сплевывали и брались за работу. Вообще-то так было принято: рабочие соглашались на ночные разгрузки — а они не останавливались и зимой — только под выпивку.

Минут через двадцать вернулся Полуторка, привез еще водки.

Работа уже шла полным ходом. Грузчики ломиками вываливали из вагонов связанные веревками пачки книг и на двухколесных тележках бегом отвозили в цех. Там книги подхватывали вилами женщины, которые швыряли пачки в жерло ревущей мельницы, где книги превращались в кашу, в пульпу — ее по трубам подавали на картоноделательную машину. Картон в рулонах поступал на толевый завод, где пропитывался пековой смолой и превращался в толь-кожу. Она использовалась как кровельный материал, а еще ею обматывали трубы газонефтепроводов.

Люди работали молча, с остервенением. Иногда кто-нибудь подходил к Полуторке, выпивал водки, наскоро выкуривал папироску — и снова за работу. Бригадиру Ковалайнену никого не приходилось подгонять — все работали как одержимые.

Сталина вываливали из вагонов, бегом отвозили в цех, бросали в ревущие мельницы, и снова, и снова, вагон за вагоном, молча, быстро, зло.

Когда зачистили четвертый вагон, отец взял меня за руку и мы пошли домой.

Сталин уходил из жизни как-то незаметно. Не помню, чтобы взрослые в городке много судачили о той ночи, когда с площади убрали большую статую Сталина, заменив ее маленьким бюстиком генералиссимуса Суворова. Отовсюду исчезли портреты Сталина. На первой моей школьной октябрьской демонстрации старшеклассники несли портрет нового героя — Гагарина. В разговорах взрослых имя Сталина всплывало очень редко.

Помню, как отец принес из фабричной библиотеки номер «Нового мира» с мемуарами генерала Александра Горбатова — об этих мемуарах тогда в городке говорили больше, чем об «Одном дне Ивана Денисовича». Как выразился сосед дед Семенов, «одно дело — заслуженного генерала железной палкой по пяткам, другое — какой-то черт знает кто баланде радуется». Но отчетливо помню, что первая встреча с Солженицыным — а это был «Один день» — не произвела на меня сильного впечатления. Когда я его читал, мне все-все казалось знакомым — не в деталях, конечно, а сама атмосфера, воздух. Обмолвки родителей, их друзей, какие-то намеки в каких-то книгах и фильмах (в «Живых и мертвых», «Чистом небе»), иногда — внезапное молчание отца, когда речь заходила о послевоенных годах... У Солженицына именно это — быт, повседневность, обыденность, самая пошлая заурядность жизни, пропитанная Сталиным, и есть самое сильное, самое страшное, а не статистика смертей и даже не ужасы ГУЛАГа.

Вскоре после той ночи на дебаркадере мы с отцом оказались на окраине городка, в громадном ангаре. Свет в ангар попадал через узкие горизонтальные окошки, забранные сеткой, падал на чисто выметенный пол серыми пятнышками и угасал в углах.

Посреди огромного пустого помещения на стуле сидел мужчина — я не сразу узнал Колю Полуторку. Он сидел неподвижно, поставив правую ногу на ящик, и курил. Стену перед ним занимал огромный портрет Сталина. Судя по окуркам на полу, сидел Коля тут давно.

Отец поздоровался.

— Знаешь, Василий Иванович, — после паузы проговорил Коля (который ко всем обращался на «ты»), — в нашей стране никому нельзя ставить памятники из бронзы — только из пластилина.

Коля Полуторка был легендарным человеком. Он был последним, кого похоронили на немецком кладбище, и на могиле его установили рулевую колонку с эбонитовым колесом — это все, что осталось от автомобиля ГАЗ-АА, Колиной полуторки.

После войны у нас по лесам было разбросано много всякой техники, брошенной немцами при отступлении. Директор бумажной фабрики ездил на роскошном серебристом «хорьхе», а милиционеры — на мотоциклах «BMW». В леспромхозе исправно служили автомобили с газогенераторными двигателями, а на полях трудились тракторы «Ланд-бульдог».

Но в начале шестидесятых директор фабрики пересел на «Победу», милиционеры — на «Уралы», а в леспромхозе появились «Татры».

Из автостарья в городке осталась одна полуторка. На ней развозили по домам упившихся мужиков и дрова для рабочих бумфабрики, доставляли продукты в детский сад и грузчиков к ночным эшелонам.

Именно на этой полуторке мой отец забрал из роддома жену с первенцем — так я впервые в жизни прокатился на автомобиле.

Не будь Коли, полуторка давно отправилась бы в утиль. Он изо дня в день пробуждал машину к жизни. Часами лежал под грузовиком, копался в двигателе, что-то подтягивал, подкручивал и красил, помогая себе при этом честным русским словом.

— Из одних запятых, зараза, состоит, из одних знаков запинания, — ворчал он. — Вот я тебе когда-нибудь точку-то поставлю...

Вечно перепачканный в машинном масле, взъерошенный, с грозно торчащими рыжими усами, с самокруткой в зубах, в галифе и хромовых сапогах, он бился за жизнь полуторки с такой яростью, словно это была его собственная жизнь.

Коля Полуторка умел за две секунды свернуть «козью ножку», побриться без порезов, держа лезвие в щепоти, и виртуозно делал «вертушку»: откупорив четвертинку водки, взбалтывал содержимое и запрокидывал голову, позволяя раскрученной водке самой — по спирали — проникнуть в его организм и не делая при этом ни одного глотка. В те годы не такой уж редкостью были случаи, когда шофер и инспектор ОРУДа заказывали в придорожном буфете по сто «с прицепом» (с кружкой пива), выпивали за здоровье друг друга и мирно разъезжались.

Его жена умерла от мистической болезни — от рака, так и оставшись бездетной. Тяпнув рюмку и пригладив волосы, Коля что ни день выходил на охоту. Огромный, громогласный и голубоглазый, он пользовался успехом у гладких вдов, шалых баб да и вообще не давал спуску зазевавшимся женщинам. Его много раз пытались побить, но Коля в драке был лют и стоек — никому так и не удалось отвадить его от чужого женского добра.

Однажды цыгане-поножовщики решили проучить Семерку за строптивость. Коля вышел в одиночку им навстречу, рванул рубаху на груди и заорал: «Сперва моего мяса попробуйте!» И цыгане отступили.

Наконец пришло время, и полуторку отправили в отставку, позволив, впрочем, послужить катафалком, пока сама концы не отдаст.

В день похорон задний борт откидывали, ставили в кузов гроб с покойником, за машиной выстраивались родственники, за ними — оркестр во главе с вечно пьяным Чекушкой, а следом вытягивалась процессия — привыкающие к смерти старушки в плюшевых жакетах, соседи, мятежная баба Буяниха в пальто со шкурой неведомого зверя на воротнике, беспричинные люди — пьяницы, которые надеялись напиться на поминках, дурак Вита Смолокуров и дурочка Общая Лиза, бродячие собаки да какая-нибудь шалая коза с пучком травы в зубах...

Иногда двигатель полуторки глох, и машину приходилось толкать. Родственники, соседи и сумасшедшие дружно налегали, Коля матерился, оркестр играл что-нибудь бодрящее, бродячие псы лаяли, коза отчаянно блеяла, наконец мотор начинал стрелять и рычать, и шествие возобновлялось.

За несколько лет Коля отвез на кладбище чуть не всех своих дружков-фронтовиков.

О войне Коля, как и его друзья, не любил вспоминать. Когда его как-то спросили, что такое храбрость, он ответил: «Это когда срать больше нечем. Обосраться от страха можно только раз». Но после того как в фабричном клубе показали фильм «Бессмертный гарнизон» о защитниках Брестской крепости, Коля Полуторка напился и рассказал, что служил в составе 132-го отдельного конвойного батальона НКВД, который охранял тюрьмы в Бресте и окрестностях и обеспечивал депортацию «классово чуждых элементов», а утром 22 июня 1941 года первым вступил в бой с немцами и держался до последнего. На стене казармы этого батальона и была сделана знаменитая надпись: «Я умираю, но не сдаюсь». Коля выжил и даже не попал в плен. Служил в 10-й дивизии внутренних войск НКВД, известной тем, что она приняла на себя первый удар немцев под Сталинградом и сдерживала противника до подхода 62-й армии, потеряв три четверти состава, а потом обороняла Тракторный и высоту 102 — Мамаев курган.

Коля Полуторка умер, недотянув до пятидесяти: сердце.

Его хоронили при большом стечении народа, было много зареванных гладких вдов и шалых баб, впереди процессии несли подушечку с медалями «За отвагу» и «За победу над Германией» — никаких других наград у него не было.

— Ничего, шофер и на том свете не пропадет, — сказала Буяниха. — Будет там начальство возить — на поллитру всегда заработает.

Полуторку разобрали, и на Колиной могиле поставили памятник — руль от ГАЗ-АА.

Помню, как-то я его спросил насчет надписи на стене в брестской казарме 132-го батальона, была ли она на самом деле, и он вытаращился и заорал:

— Надпись была, а запятой не было! Понял? Умираю но не сдаюсь — на хера там запятая? «Умираю но не сдаюсь» пишется без запятой! Понял? Без запятой на хер!

Летом мы поехали на Украину.

Это был мой первый опыт путешествия по железной дороге.

Паровозы, тепловозы, тяги, подъемы, стрелки, семафоры, руководящие уклоны, пульманы, фитинги, хопперы, цистерны, думпкары, полувагоны — отец произносил эти слова с каким-то особенным чувством. Он досконально знал организацию станционного хозяйства и наизусть — устав железных дорог СССР. Оно понятно: на фабрику каждый день приходили вагоны с целлюлозой, каолином, макулатурой, силикатным клеем, пековой смолой, песком, углем, мазутом, и почти каждый день с фабрики уходили вагоны с бумагой и толь-кожей, и за все это отвечал отец. Он любил железные дороги — для него они, похоже, были не только скрепой, но и воплощением порядка, самой России, а карта железных дорог — планом мироздания.

Иногда отец отдавал честь поездам — рослый, широкоплечий, прямой, с суровым лицом, он лихо вскидывал ладонь к козырьку полотняной фуражки и на несколько мгновений замирал на насыпи по стойке «смирно», и паровозы отвечали ему гудками, проносясь мимо с грохотом — к цели, назначенной высшими силами.

Но пассажиром на железных дорогах он бывал редко. В дальние командировки он обычно ездил на трехосном «ЗИЛе» с шофером Гришей Михеевым. Спали по очереди, перекусывали бутербродами — хлебом с салом, прихваченными из дома. А тут — отдельное купе, салфетка на столике, занавески на окнах, проводник в форменном мундире, предлагающий чай и шахматы... Я видел, что отец радуется не меньше моего.

До Харькова мы доехали с комфортом, а потом начался ад.

До Донецка нам пришлось ехать в общем вагоне — других билетов не было.

Стояла жара, в открытые окна влетали клочья сажи из паровозной трубы, пятнавшие лица людей, по мешкам и чемоданам, которыми был завален проход, ползли инвалиды-колясочники с гармошками, все лузгали семечки и ели вареные яйца, отовсюду звучала песня: «Ой ты, рожь, золотая рожь», мы с отцом стояли в тамбуре, и я все время боялся выпасть из двери.

Из Донецка до Доброполья мы добирались на такси. Дорога шла по плоской пыльной степи, мимо терриконов, и на крышу «Победы» время от времени падали куски породы, сыпавшиеся из тележек, которые плыли по канатам высоко в небе.

От Доброполья до бабушкиной деревни мы пошли пешком. Вскоре нас догнал милиционер на мотоцикле с коляской. На заднем сиденье сидел человек с окровавленным лицом, он был привязан веревкой к милиционеру. Мать с моей сестрой сели в коляску, а мы с отцом продолжали путь пешком. Я снял сандалии и носки и топал по дороге, по щиколотку утопая в пыли. Отец нес два тяжелых чемодана.

Было очень жарко, хотелось пить. У отца была бутылка, наполненная водой в Доброполье, но он не позволял мне пить: «Прополощи рот и выплюнь».

К вечеру мы добрались до деревни — кирпичные домики, окруженные иссохшими деревьями и кукурузными полями, с которых доносился жестяной шелест.

Я подошел к дереву, тряхнул — на землю упали несколько слив: косточки, обтянутые сморщенной кожицей.

Бабушка Татьяна Кондратьевна оказалась маленькой, черноногой — она не носила обуви — и страшноглазой. Она перекрестила меня и сказала: «Весь в отца».

Отец рассказывал, что в конце 20-х, когда умер ее муж, прошедший Первую мировую и Гражданскую, весь израненный, бабушка сунула за щеку пять золотых монет, под юбку — обрез, посадила десятерых детей на повозки и отправилась из голодной Белоруссии на Украину, в Донбасс. Старшие дети пошли на шахту, младшие — в колхоз. В первую же зиму деревню завалило снегом до труб. Скот падал от ящура, люди — от голода. Милиционеры вывозили дохлых коров в степь, но закопать не могли: земля окаменела от мороза. Люди ждали, когда милиционеры уедут, разводили костры и тут же, в степи, варили похлебку из мяса ящурных коров. Некоторые после этого умирали. Во время войны шестерых детей Татьяны Кондратьевны немцы повесили: ее сыновья были партизанами.

Было уже темно, когда мы с отцом отправились за водой. Колодец был таким глубоким, что на дне его умещалось отражение только одной звезды, а пока ведро летело до воды, я успел сосчитать до пятнадцати.

Дом бабушки состоял из двух помещений — кухни с глиняным полом и чистой комнаты с деревянными полами, высокой кроватью, швейной машинкой «Зингер» с ажурной чугунной педалью, шкафом для белья, радиоприемником, из которого по-прежнему неслась «Золотая рожь», черной иконой в серебряном окладе и портретом моего деда Ивана — сурового усача с Георгиевскими крестами на груди, стриженного в скобку. Портрет был обрамлен вышитым рушником и украшен синими и красными бумажными цветами.

Мы с отцом легли спать на сеновале.

На следующий день после завтрака отец повел меня огородами вниз, в овраг, где находился колхозный кирпичный завод. Под навесом несколько мужчин в майках и валенках на толстой резиновой подошве длинными кочергами переворачивали кирпичи. Под каждым кирпичом была дырочка, в которой гудел огонь.

Мы поднялись на противоположный склон оврага, к каким-то развалинам, заросшим полынью и бодяком, сели в тени. Отец снял туфли, носки, пошевелил пальцами, лег на спину, закинув руки за голову.

— Здесь жили людоеды, — сказал он, глядя в небо. — Красивые людоеды.

Во время великого голода хозяйка дома, красавица вдова с четырнадцатилетней дочерью, вышла замуж за молодого парня. Четырнадцатилетняя Настя соблазнила отчима, и они вместе убили и съели хозяйку. А потом Настя убила и съела любовника. Когда Настю выводили из дома, милиционеры накинули ей на голову мешок. Она была самой красивой девушкой в округе, сказал отец, самой красивой, дерзкой и своенравной. Какие у нее были красивые глаза, сказал он, а руки... никогда в жизни таких больше не встречал...

— Зачем мешок? — шепотом спросил я.

— От страха, — сказал отец. — Милиционеры боялись смотреть ей в глаза.

Я лег рядом с ним, закинув руки за голову.

— На Соловьевской переправе, — сказал отец, — меня поставили к стенке. То есть, конечно, стенки не было — просто привязали к сосне. Я сбил из ручного пулемета «Юнкерс». Случайно вышло. Эти «Юнкерсы» нас достали... я просто озверел... взял пулемет и выпустил в пикирующий самолет весь диск — сорок семь патронов... стоял во весь рост в траншее и стрелял, пока патроны не кончились... и вдруг он упал... наверное, я попал в кабину, в пилота... и тогда вся эта стая «Юнкерсов» набросилась на нас... в общем, после налета меня на скорую руку приговорили к расстрелу за обнаружение расположения воинской части... отвели в лесок, привязали к сосне и набросили на голову мешок... мешок пах машинным маслом... мешок на голове, а я боюсь глаза закрыть... чую эти винтовочные дула, направленные на меня, и не могу закрыть глаза, хотя на голове этот мешок... и у меня говно поползло по ляжкам... жрать было нечего, по три галеты в день на человека выдавали, а говна вышло много... прет и прет, прет и щиплет... ляжки щипало, как крапивой... я в одних кальсонах, без сапог, с мешком на голове, и говно течет по ляжкам... — Отец помолчал. — Командовал нами Сусайков, корпусной комиссар Иван Захарович Сусайков. Генерал-лейтенант. Проезжал мимо, спросил, в чем дело, и отменил расстрел. Мне развязали руки, а снять мешок с головы — сил не было... вот когда я смерть увидел... когда ничего видеть уже не мог... не было в моей жизни ничего унизительнее, ничего постыднее, чем тот расстрел... ничего унизительнее, ничего постыднее...

Я молчал, глядя в небо. Почему-то истории про людоедов и про расстрел вызвали во мне приступ жгучего, почти невыносимого, почти библейского стыда, как будто отец ни с того ни с сего разделся передо мною донага.

— Пойдем-ка, — сказал отец. — Соседи обещали арбузом угостить — у них уродились.

Глава 3. Триллиарды лиардов

Поездка на жаркую Украину не укрепила моего здоровья. Мы вернулись домой перед самым началом учебного года, и через две или три недели я снова оказался с ангиной в больнице. Вдобавок у меня разболелись уши и распухли суставы на руках. Мать тотчас отвела меня к педиатру Веронике Андреевне Жилинской, которая без разговоров выписала направление в больницу. Мать боялась, что у меня может развиться менингит, от которого умер ее первый ребенок, или рак среднего уха, от которого умерла ее мать, моя саратовская бабушка.

Детского отделения в больнице не было. Меня положили в палату с мужчинами.

Больница — серое трехэтажное здание под черепичной крышей, с громадным прогулочным балконом на уровне первого этажа и чугунными скамейками у входа.

От нашего дома до больницы было не больше десяти минут ходу, поэтому каждый вечер мать приносила мне домашние котлеты, книги и школьные тетради, чтобы я не отставал от одноклассников.

Мне назначили уколы и физпроцедуры. Сначала надо было подняться на третий этаж и высидеть минут десять-пятнадцать в наушниках, источавших тепло, и с алюминиевой трубкой во рту, из которой мои гланды обстреливались каким-то голубым целебным светом. Потом я спускался на первый этаж, и там мои руки заливали расплавленным парафином.

Но все эти процедуры, в общем, были не такими уж и продолжительными, и остальное время я читал, читал и читал, лишь изредка отрываясь от книг, чтобы послушать истории, которые от скуки рассказывали друг дружке мужчины.

Чтение мое было совершенно беспорядочным. В школе нас скопом записали в библиотеку и выдали книжки, которые показались мне неинтересными. Я выпросил у библиотекарши один из толстенных томов всемирной истории и целую неделю упивался историями о великих африканских империях Мономотапа и Мали, о голоногих воинах с копьями и дубинами, о китайских восстаниях и походах жестоких майя и инков. Разумеется, большей части прочитанного я просто не понимал — меня завораживал гул истории, а не ее смысл.

Долгое время я вообще не понимал, что взрослые подразумевают под литературой. Имена писателей ничего мне не говорили. Например, я с детства знал Набокова и Ахматову, но лет до шестнадцати-семнадцати и не подозревал о том, что есть такая поэтесса — Ахматова, а о существовании писателя Набокова узнал только в университете. Одноногий старик Набоков славился у нас в городке своим неуживчивым нравом, язвительностью и склонностью к рифмованию. Скажешь ему — экскаватор, а он со злобой рифмует — хуеватор. Скажешь — здравствуйте, отвечает — хренаствуйте. Про таких людей в городке говорили: «Куда ни поцелуй, всюду жопа». Еще большей сволочью была его собака: всюду гадила, гавкала и кусалась, не щадя даже хозяина. Однажды она так покусала Набокова, что он ее убил. А потом закопал в огороде, каждый день приходил на то место, курил беломорину и рычал: «Ну что, хрень блохастая, долаялась?» Вытирал слезу, плевал на холмик и уходил. А Анна Ахатовна Ахматова всю жизнь торговала селедкой. Она была доброй женщиной, и когда однажды ее спросили шутники, как там сегодня у нее со стихами, — расплакалась.

Мать — она была юрисконсультом на бумажной фабрике — читала в основном издания вроде ведомостей Верховного Суда, а отец — энциклопедии, которые приносил со Свалки, и генеральские мемуары, пошедшие тогда косяком.

Мать приносила в больницу сказки — русские, украинские, белорусские, итальянские, а отец нес со Свалки то Жюля Верна, то Стивенсона, то Эдгара По, то «Плутонию» Обручева, а однажды принес отсыревший пухлый том «Декамерона» Боккаччо. Все это я проглатывал с упоением.

Я любил слова, особенно новые, непонятные. Как упоительно звучали все эти «аэрофотосъемка», «брандмауэр», «гидроэнергетика», «кардинальный», «токарно-револьверный», «палеогенез», «мастопатит», «краниология»...

Как-то утром мой сосед по палате не проснулся. Он неподвижно лежал на кровати, глядя в потолок стоячими глазами. Врач взял старика за руку, вздохнул и сказал: «Ригор мортис», и все медсестры и санитарки с облегчением завздыхали, а потом заплакали, и какая-то старушка в белом платочке вдруг легла рядом со стариком — ее стали хватать за плечи, тянуть за ноги, а она все плакала и тоненьким девичьим голосом причитала: «Колинька... Колинька...»

Так я узнал выражение «rigor mortis» — трупное окоченение.

Герои Жюля Верна, Стивенсона, Эдгара По попадали в кораблекрушения, сражались с пиратами, искали и находили клады. Клады, клады, эти чертовы клады! В нашем городке было много разговоров о кладах, о сокровищах, закопанных немцами. Одни немцы бежали при приближении советской армии, не успев захватить с собой свое добро, а тех, что не успели бежать, выслали в Германию через два-три года после войны, разрешив взять с собой не больше пуда вещей на человека. Значит, все золото, серебро, бриллианты и прочие драгоценности — все осталось здесь. А в том, что у немцев было полно сокровищ, мало кто сомневался. Переселенцы по большей части были людьми деревенскими. В Восточной Пруссии их поразили каменные дома под черепичными крышами, мощеные дороги, газовые плиты, унитазы, водопровод в деревнях, медные дверные ручки, напольные часы — у людей, которые *так* жили, не могло не быть сокровищ.

Мои соседи по больничной палате охотно рассказывали про «одного мужика», который, копаясь в огороде, наткнулся на клад — это были серебряные и золотые блюда, вилки-ложки, монеты, часы, жемчуга и бог весть что еще. А сколько еще не найдено, говорили мужики. Ведь немцы известны страстью к устройству подземных ходов, и где-то там, под землей, в этих самых ходах, наверняка спрятаны сокровища. Старик Смольников был в этом твердо уверен. С грустью в голосе он рассказывал о тысячах мин в бывшей Восточной Пруссии и секретном кабеле, проложенном до самого Берлина, где в любой миг могут нажать кнопку — и вся наша жизнь взлетит на воздух, и тогда немцы вернутся и заберут свои сокровища.

Старожилы вспоминали о репарационных складах, где за бутылку водки можно было разжиться велосипедом, фотоаппаратом, часами или четырехствольным охотничьим ружьем. Четырехствольным, подумать только. Два ствола под папковые патроны, а из двух других, нарезных, можно стрелять боевыми, причем из одного — очередями, как из пулемета. Немцы — хитрые мастера, известное дело.

Конечно же, мне тоже хотелось обнаружить клад.

Мать то и дело жаловалась на нехватку денег, каждый месяц ходила «к Дусе», в кассу взаимопощи. Отцу прибавили зарплату, но часто штрафовали — его, главного инженера и директора фабрики — то за простой вагонов на станции, то за загрязнение реки. Клад разом решил бы наши проблемы. Мы с ребятами залезали в полуразрушенные подвалы, шарили по окрестным лесам, но находили только пробитые пулями ржавые каски, алюминиевые монетки, пряжки от солдатских ремней и прочую чепуху.

— Не там ищешь, — сказал как-то отец. — И не то ищешь.

Объяснять он ничего не стал.

Его слова задели меня. Я понимал, что отец имел в виду какие-то другие сокровища, хотя он был вовсе не из тех людей, которые духовные блага ставят выше материальных. Лежа на больничной койке, я грезил о древних книгах, которые дороже любого золота, потому что с их помощью можно завладеть миром. О чем-то таком, что, возможно, вообще не поддается оценке, но дает власть над людьми и вещами. Или так преображает человека, делает его таким совершенным, таким всемогущим, что ему уже никаких бриллиантов не нужно. Это что-то зримое, но неосязаемое, то, чем можно жить, но нельзя владеть... заветное слово... лиарды... Мне тогда почему-то с трудом давался переход в счете от миллиардов к триллионам. «Миллионы, миллиарды, — говорил я и рифмовал: — Триллиарды...» Отец поправлял: «Триллионы!» И вот все эти грезы о сокровищах и власти над миром странным образом сошлись, образовав в моем полубольном сознании сочетание «триллиарды лиардов». Лиарды были неосязаемы, непонятны, но чудесным образом рифмовались в моем мозгу с сокровищами и властью над людьми, с совершенством и всемогуществом. Я видел их, эти волшебные лиарды, о которых знал только я, — триллиард лиардов, два триллиарда, три, четыре... никто даже не догадывался о том, что это — сокровища, а я догадывался... это были какие-то *промежуточные, тайные* сокровища, доступные только мне... мечта, воздух, дым золотой...

Утром меня будили: «А сейчас мы уколем тебе алоэ».

«Алоэ» — тоже красивое слово.

После поездки на Украину (а потом в Саратов, на родину матери) я стал иначе смотреть на свою малую родину. Я понял, что устроена она иначе, не так, как Украина или коренная Россия. Узкие дороги, обсаженные деревьями, посаженные по линейке леса, маленькие поля, польдеры, каналы, шлюзы, булыжные мостовые, черепичные островерхие крыши, красный кирпич — здесь еще сохранилась матрица, напоминавшая о другой жизни, об ином порядке и культуре.

Я задавал вопросы взрослым — что было здесь? а тут? это зачем? кто это построил? — но чаще всего или не получал ответов, или ответы были невразумительными, приблизительными: «Кажется, тут была школа для девочек... эта насыпь — для узкоколейки, но рельсы давно сняли... эти кольца в стене — к ним привязывали лошадей... тут была электростанция...»

Дед Семенов вспоминал о том, что древний собор, стоявший на площади, был крыт бронзовой черепицей, и однажды смекалистые наши мужики при помощи тросов и танка содрали эту крышу с собора, «продали еврею и долго потом пили на вырученные деньги».

Развалины, развалины — они были всюду...

Рассказывали, что город потому так разрушен, что наши войска брали его пять раз, но всякий раз бойцы добирались до спирта — у реки стоял спиртзавод, солдаты напивались, и немцы их прогоняли. Вот и пришлось стереть город с лица земли — вместе с соблазнительным заводом. Отец говорил, что это брехня.

Старожилы еще помнили те времена, когда русские люди — до осени 1948 года — жили бок о бок с немцами, и вспоминали о немках, которые готовы были отдаться солдату за кусок мыла, чтобы потом этим мылом вымыть тротуар; о рыбаках, которые умирали от голода, но сдавали всю рыбу — до последнего хвоста — на приемный пункт; о стариках, владевших искусством ухода за булыжными мостовыми; о трактористах, которым не лень было вывинчивать шипы из задних колес трактора «Ландбульдог», чтобы только перебраться через асфальтовое шоссе на другое поле, где те же пятьдесят два шипа приходилось вновь ставить на место; о душераздирающих историях любви русских офицеров и немецких женщин...

Особенно сильное впечатление произвела на меня история о дверной ручке. Перед депортацией хозяин дома — немец — снял с входной двери медную ручку, сказав на прощание новым хозяевам дома — русским: «Вернусь — поставлю ручку на место». В тот же день поезд увез его в Германию. Я пытался представить себе этого человека, который не взял с собой ни дорогую посуду, ни напольные часы, ни книги, а взял только ручку, медную ручку. Он берег ее как сокровище. Хранил в своем новом доме, спрятав в шкатулку. Вечерами любовался ею, вздыхал и, может быть, плакал, вспоминая о родине, о доме, где родился, где потом родились его дети и внуки. Умирая, он завещал эту медную дверную ручку старшему сыну, чтобы он вернул ее на место. Я думал о том дне, когда по возвращении из школы вдруг обнаружу на нашей двери эту ручку в форме львиной головы и обомлею на пороге, не зная, что делать, как жить дальше...

— Этого никогда не будет, — сказал отец, когда я рассказал ему эту историю. — В этой игре назад не ходят. Да и не было никакой ручки, я думаю...

Эти обрывки истории не позволяли проникнуть за стену, которая отделяла русскую нашу жизнь от той, что была здесь семьсот лет до нас. Впрочем, и не сказать, чтобы я так уж отчаянно бился в эту стену. Русские приехали сюда не для того, чтобы изучать историю Восточной Пруссии и восстанавливать памятники ее культуры, — русские приехали сюда, чтобы жить. И я ничем не отличался от этих людей. Вопросы о прошлом этой земли возникали и тотчас угасали, потому что нужно было идти с дружками на рыбалку, делать домашнее задание по математике или переживать из-за того, что в пятницу — по пятницам в бане был «женский день» — ребята пойдут вечером к бане подглядывать за голыми женщинами, а я должен лежать в больнице...

Однажды наша учительница устроила нам, мальчишкам, выволочку за то, что мы дразнили Веселую Гертруду, сумасшедшую немку.

— Старость нужно уважать, — сказала учительница. — А вы? Ведете себя как не знаю кто!

Кто-то из нас сказал, что старуха вечно бормочет что-то невразумительное: «Зайд умшлюнген, миллионен» и все такое.

— Зайд умшлюнген, миллионен, — подхватила учительница, — дисен кюсс дер ганцен вельт... Обнимитесь, миллионы, в поцелуе слейся, свет, братья, над шатром планет есть отец, к сынам склоненный! Дурачки вы дурачки, когда-нибудь вы поймете, что эти стихи Шиллера — это такая высокая, такая великая, такая светлая мечта о всеобщей любви и братстве... это такая печаль... — Голос ее задрожал. — И эта несчастная женщина... в ее темном разуме сохранился этот свет любви... это ее молитва, а вы... вы тут... а ты, Буйда, вынь тут мне руки из карманов! Что за привычка! Стой как полагается!

На какое-то мгновение стена рухнула. Или, точнее, на какое-то мгновение в ней появилась дырочка, в которую я мог заглянуть, и я другими глазами увидел эту старуху, эту Веселую Гертруду, ее седые космы, ее черные от грязи босые ноги — такие же, как у моей украинской бабушки... на несколько мгновений Веселая Гертруда стала таким же человеком, как я, не немкой, не чужой, а просто — человеком со своей болью и любовью... и это поразило меня... поразило — и тотчас забылось: едва учительница скрылась за углом, мы бросились в орешник — вырезать рогатки.

Однажды ранним летним утром мы с отцом отправились в дальнюю поездку на велосипедах. О цели поездки отец выразился туманно: «Посмотрим на другую войну». Останавливались на лесных хуторах, чтобы попить воды, и снова крутили педали.

Когда отец наконец сказал «стоп» и мы спрыгнули с велосипедов, я растерянно огляделся: кочковатое поле, лес, ивняки, за которыми угадывалась река. Собиралась гроза — с моря шли лиловые тучи, громоздясь друг на дружку и вспыхивая по краям зловещим белым светом.

— Здесь, — сказал отец, вытирая платком лоб и шею. — Гросс-Егерсдорф.

Я читал о первом крупном сражении Семилетней войны, в котором возле деревушки Гросс-Егерсдорф в августе 1757 года столкнулись пятьдесят пять тысяч русских солдат под командованием фельдмаршала Апраксина и двадцать восемь тысяч пруссаков под началом фельдмаршала Левальда. Плохо обученные и полуголодные русские одолели великолепных пруссаков на их поле, но Апраксин внезапно отдал победу, отступив к Неману. В книге было написано о каких-то внутриполитических причинах, побудивших Апраксина отступить, и о плохом снабжении русской армии. Апраксина в России предали суду, но во время следствия он внезапно умер. Вот и все, что я знал об этих событиях.

— Шорлемер с тридцатью эскадронами атаковал оттуда. — Отец махнул рукой в поле. — Опрокинул нашу конницу и зашел в тыл пехоте. Затем на русских бросился принц Голштинский со своей кавалерией — еле отбились. Левальд атаковал пехоту Салтыкова и Вильбоа, прижал ее к лесу — вон там, и пехота дралась по колено в крови, но не отступала, хотя прусская артиллерия била по пехотинцам в упор. Русские держат нательные кресты в зубах и стоят насмерть. Пруссакам отвечают шуваловские гаубицы. Бой на опушке леса переходит в рукопашную...

Тучи почти сомкнулись над нашими головами, гром гремел не переставая, и отцу приходилось кричать.

— Русские части обескровлены и растянуты, правый фланг начинает отступать, солдаты дерутся в лесу, между деревьями, в кустах, штык против штыка, пруссаки ломят, гнут нашу пехоту, и тут...

На нас вместе с очередным ударом молнии и грома обрушился дождь, но отец и не думал прекращать свой рассказ.

— И тут, — кричал он, раздувая горло и вытаращив глаза, — генерал Румянцев без приказа — без приказа! — с четырьмя свежими полками атакует левый фланг пруссаков, опрокидывает их и обращает в бегство. Вперед! В штыки! Пруссаки бегут! Бегут! Они попадают под огонь своих же батарей, и отступление становится паническим бегством! Победа! Ура!

Я не трогался с места, завороженный этой историей, которую отец рассказывал под гром, молнии и проливной дождь. Он стоял прямо, не обращая внимания ни на молнии, полыхавшие у него над головой, ни на хлеставший по плечам дождь.

По спине у меня бежали мурашки. Я вдруг увидел эти серые мундиры, кивера, треуголки, плюмажи, эти оскаленные лошадиные морды и орущих от страха и ярости мужчин, их спины, локти и плечи, эти смертоносные штыки и чудовищные шуваловские гаубичные жерла, изрыгающие огонь и дым, много дыма, эти знамена и штандарты, тяжелые палаши и татарские сабли, на мгновение почувствовал ярость пруссаков и неукротимую стойкость русских, вкус медного нательного крестика во рту, запахи горелого пороха, конского пота и людской крови...

— Пруссаки отступили к Велау, — сказал отец, садясь на велосипед. — И нам пора.

Мы помчались полевой дорогой к лесу.

Я кричал, пригибаясь к рулю и боясь, что в меня ударит молния.

Грозу мы переждали у знакомого лесника, за столом я много и жадно ел, лихорадочно пересказывая только что услышанную от отца историю, взрослые смеялись, пили самогон и хлопали друг дружку по плечам.

— Немецкие лесники, — сказал отец, — прозвали тот лес Свинцовым. Сосны в Свинцовом лесу невозможно было ни спилить, ни срубить — столько в них засело пуль и шрапнели. Казалось, деревья состояли из одного свинца.

За нами подглядывали дети лесника. Я попытался их сосчитать, но сбился. Лесник жил с тремя женами. Вернувшись с фронта, он нашел на месте родной деревни сорок девять землянок, в которых жили одни незамужние девки да вдовы, *побиравшиеся телесно* по четырнадцати-пятнадцатилетним подросткам. Посоветовавшись с матерью и женой, он взял «за себя» и двух младших сестер жены, мужья которых погибли на войне, и все вместе они переехали сюда, в Восточную Пруссию. Никто не осуждал лесника, который спас молодых женщин от голода и унизительного женского одиночества.

Домой мы вернулись поздно, наскоро перекусили в кухне и легли спать.

За стеной разговаривали женщины. Я узнал голос Вали Дальнобойщицы, бабы наглой и бойкой. Но сейчас ее голос звучал приглушенно и испуганно.

Эта носатая кривоногая бой-баба была женой всех дальнобойщиков, которые останавливались за рекой, где находилась гостиница. Ее и прозвали Дальнобойщицей. От дальнобойщиков прижила двух дочерей разной масти. Этих девчонок соседи называли «стояхалками»: с двенадцати лет каждый вечер выстаивали в подъезде с мужиками. У них — разномастные дети, девочки, Валины внучки. Эти внучки месяцами жили у бабушки, пока Валины дочки промышляли, а уж чем и где — никто не знал.

Пенсии Вале не хватало. Она решила устроиться на работу. Приглянулось ей место дворника. Но место было занято инвалидом Кирей. Киря крив и раскорячен, но дело знал — махал метлой усердно, не пил и не хулиганил. Валя ходила к коммунальному начальству, просила, жаловалась на жизнь — не помогало. Тогда она подпоила Кирю и выставила на позор. Кирю выгнали, взяли на его место Валю. Она работала усердно.

Соседки стали было стыдить Валю: «Киря убогий, у него мать дура и отца нету, что ж ты, Валя, не по-божески это, пожалела б убогого... души у тебя нету...»

— Душа — девка бодрая, — сказала Валя. — Пищит и дрищет — а своей выгоды ищет.

Связываться с нею боялись и женщины, и мужчины: все знали, что Валя носит в кармане кастет. Однажды ее попытался облапить Степа Марат, дюжий кочегар с бумфабрики, и Валя одним ударом выбила ему шесть зубов, пять передних и один коренной. Степа несколько дней носил их в тряпочке и со смехом демонстрировал всем желающим.

Гостиница стояла в небольшом сосновом леске. Жители окрестных домов выносили мусор в этот лесок. В каждой ямке, у каждой сосны — горы мусора. И Валя выносила мусор в лесок. А когда у нее сломался унитаз, она и свое говно несколько дней подряд выносила в тот лесок. Навалит в бумажный пакет или в кулек и повесит на березу. Вокруг дома на всех березах и соснах недели две висели пакеты и кульки с говном. Но за лесок Валя не отвечала — она отвечала за гостиницу и ближайшие три двора.

С получки Валя покупала бутылку водки, выпивала, садилась на стул перед домом и играла на гитаре, закинув ногу на ногу. Пела про черного кота, которому не везет. Потом снова выпивала и закуривала очередную сигарету, откусив фильтр: «Так вкуснее».

Внучки у ее ног играли с соседскими мальчишками в дочки-матери.

— Тоже стояхалки вырастут, — бормочет Валя. — На мыло вас, блядей, сдать, что ли...

И вот эта бойкая Валя прибежала в страхе к моей матери — единственному юристу в округе — за советом. В начале войны ее призвали на трудфронт — рыть противотанковые рвы. Холодно, дождливо, голодно. Валя не выдержала и двух недель — сбежала. Всю войну провела в глухой тамбовской деревне, в лесу, у дальней родственницы. Там от солдата, досрочно вернувшегося с войны без ноги, родила первую дочь. А после войны вместе с мужем и дочерьми перебралась сюда, в наш городок. И вдруг получила бумагу из военкомата, в которой говорилось, что как участнице трудфронта ей полагаются какие-то льготы.

— Зоя Михайловна, — гудит Валя, — пойду я в военкомат, а меня хвать — и в тюрьму. Трудфронт хоть и не фронт, а все равно — дезертировала. И как они узнали? Я же всего одиннадцать дней там была, одиннадцать!

Мать успокаивает Валю. Они переходят на шепот.

Я засыпаю, и мне снятся всадники Левальда, врубающиеся в густой лес, озверевшие русские пехотинцы, по колено в крови, с нательными крестами в зубах и винтовками наизготовку, отец со знаменем в руках, трубы, барабаны, вспышки молний, свинцовые деревья со свинцовыми листьями, шалые стояхалки, носатая Валя Дальнобойщица, шепчущая мне на ухо басом: «А грибы есть нельзя — их волки нюхают».

Даже после того как мне удалили гланды, Вероника Андреевна Жилинская назначала летом уколы — фибс, алоэ, витамины, девяносто ампул, три укола в день, и каждое утро я был вынужден ходить в поликлинику. Медсестра тетя Лида с трудом находила на моих руках «живое место», колола, а после этого я отправляюсь в библиотеку — напротив, через двор.

Это массивное здание под фигурной крышей из черной черепицы стояло на углу площади, вымощенной крупными плоскими сизыми и красными камнями, вырубленными из морен доисторических ледников. В первом этаже располагались милиция, почта, телеграф, во втором — тоже какие-то учреждения, а вот на третьем, под крышей, — библиотека, занимавшая несколько небольших залов и зальчиков.

Входная дверь ударяется в круглую железную печку, покрашенную серебрянкой. Слева от входа — настоящая конторка с перильцами, с квадратом зеленого сукна, с чернильницами-невыливайками и набором перьевых ручек-вставочек. За конторкой — грустная Ирина Николаевна Канделаки, статная белокурая красавица.

Ее мужа убил его лучший друг Костя Мышатьев, который был влюблен в Ирину Николаевну. Мужчины дрались на берегу реки возле клуба. Костя придушил и утопил Жору на глазах у всех. Участковый дядя Леша усадил мертвое тело в коляску, а Косте велел бежать следом, и Костя всю дорогу бежал за мотоциклом.

Ирина Николаевна воспитывает дочь и заведует городской библиотекой, а бывшая лучшая подруга — смуглая красавица Машка Мышатьева — пляшет в фабричной самодеятельности, и подпившие мужики в зале шепчутся в ожидании ее выхода на сцену: «Сейчас Машка трусами трясти будет». Когда она кружится в танце, видно ее нижнее белье. Машку не особенно осуждают: трудно молодой женщине без мужа, которому дали пятнадцать лет тюрьмы, но все-таки женщинам не нравится, что у нее такие стройные смуглые ноги и такие маленькие белые трусики.

В читальном зале — вечные старушки над медицинской энциклопедией. Я сворачиваю за конторку и оказываюсь в гуще книг. Узкие проходы между полками, никого, тишина, головокружительный запах бумаги. Меня трясет. Я уже знаю, как это называется: *я во власти вожделения*. Набираю книг двадцать-тридцать, складываю на подоконнике, перебираю, откладываю, восемь беру с собой. Грустная Ирина Канделаки скрипит пером «рондо», выписывая в мой формуляр названия книг и покачивая красивой головой. Каждую неделю я набирал в библиотеке столько книг, что едва дотаскивал их до дома. Хочется прочесть все, даже «Очерки о Вселенной» Воронцова-Вельяминова, черт бы их подрал.

Домой я возвращаюсь бегом. У меня каникулы, родители на работе, значит, можно *предаться наслаждению* — это выражение я тоже выхватил из какой-то книги.

Я так и не смог запомнить наизусть пионерскую клятву и довольно долго мучился с таблицей умножения на девять, зато уже знал, что белым евнухам в арабском гареме отрезали только яйца, а черным — еще и стебель, и потому черным приходилось мочиться сидя, через соломинку; что у Достоевского — а я его еще не читал — после эпилептического припадка и падения на комод зрачок был разбит и раздвоился, и его «раздвоенный» взгляд производил на современников *неизгладимое* впечатление; что жена Пушкина была не беломраморной красавицей, как принято считать, а рыжей косоглазой мадонной; что левая сторона тела у преступников развита лучше, чем правая; что тазовое кольцо женщин за полтора миллиона лет эволюции не увеличилось ни на микрон, что, к счастью, ограничивает размеры человеческого мозга; что лимоном пахнут крылья бабочки-брюквенницы, а вовсе не бабочки-лимонницы; что Кафка — изобретатель шеечного колпачка, предохраняющего женщин от нежелательной беременности; что стакан с ободком называется булганинским, а без ободка — маленковским; что пехотинец наполеоновской эпохи расходовал за всю кампанию не более двух-трех патронов; что воробьев называют жидами потому, что они в клювах носили гвозди для римских легионеров, которые приколачивали Христа к кресту; что полное имя графа д'Артаньяна — Шарль Ожье де Бац де Кастельмор; что от Кенигсберга до Берлина ближе, чем от Берлина до Варшавы; что в Библии слово «душа» упоминается 1600 раз, но ни разу не говорится о ее бессмертии...

Вся эта белиберда, почерпнутая в книгах, смешивалась с самой жизнью, застревая в памяти навсегда, тогда как полезные сведения часто пролетали мимо. Я до сих пор теряюсь, когда с ходу нужно определить сторону света, не помню закона Ома, не умею определять расстояние до предметов и *не знаю наизусть ни одного стихотворения,* но отлично помню, как однажды полуодетая босая Пащая, только что развесившая белье во дворе, проходя мимо Лехи Байкалова, как бы случайно коснулась рукой его штанов спереди и проговорила переливчатым грудным голосом: «Шила в мешке не утаишь», и помню, как вдруг дрогнул ее голос, и какое суровое и напряженное лицо сделалось у лихого моряка-механика.

Я упивался историями о фараонах и крестоносцах, о Переяславской Раде и таборитах, о Петре Великом и ледяном доме. Но однажды осенью, оказавшись с высокой температурой дома, в постели, маясь бездельем и бескнижьем, взял с полки тонкую книжицу с каким-то карикатурным мурлом на обложке, прочитал внизу «Гослитиздат, 1952 год», раскрыл и прочел: «Осип, слуга, таков, как обыкновенно бывают слуги несколько пожилых лет. Говорит сурьезно, смотрит несколько вниз, резонер и любит самому себе читать нравоучения...» Что за безграмотная муть! Гоголь... ну я читал «Вечера на хуторе близ Диканьки», но там был другой Гоголь. А тут — пьеса. Но делать нечего, под рукой ничего не было, и я принялся за чтение. Через пятнадцать минут я начал смеяться, потом — хохотать, потом я стал читать вслух, по ролям, дочитал до немой сцены, вернулся в начало и продолжал читать вслух — снова, как в первый раз. В тот день я прочел «Ревизора», наверное, раз десять, не меньше. Это было похоже на безумие. Я бегал по комнате, залезал с ногами на диван, кривлялся перед зеркалом и вопил: «Мне даже на пакетах пишут: «ваше превосходительство». Один раз я даже управлял департаментом. И странно: директор уехал, — куда уехал, неизвестно. Ну, натурально, пошли толки: как, что, кому занять место? Многие из генералов находились охотники и брались, но подойдут, бывало, — нет, мудрено. Кажется, и легко на вид, а рассмотришь — просто черт возьми! После видят, нечего делать, — ко мне. И в ту же минуту по улицам курьеры, курьеры, курьеры... можете представить себе, тридцать пять тысяч одних курьеров! Каково положение?» И корчил рожу. И снова перечитывал пьесу, в которой я был и Осипом, и Хлестаковым, и Городничим, и Земляникой, и Марьей Антоновной — всеми, всеми этими волшебными идиотами и уродами, возносившимися через свое уродство на какие-то высоты света, о которых я даже не подозревал.

Вечером мать застала меня в возбужденном состоянии и дала мне сначала амидопирин, потом пирамидон, а когда разобралась, рассмеялась: «Господи, ты до литературы добрался!»

Это — литература? Нет и нет, это не литература, скажу я вам даже сегодня, спустя сорок с лишним лет, это — не литература, а черт знает что и еще раз — черт знает что, выше чего ничего не бывает, потому что не бывает никогда.

После «Ревизора» я залпом прочитал «Невский проспект», жутковатую «Шинель» и даже незавершенные гоголевские пьесы. Я вдруг почувствовал: вот оно, я нашел свои первые *лиарды,* и дрожь пробежала по спине. В первый и в последний раз я так смеялся над книгой — над «Ревизором», в первый и последний раз я так плакал над книгами — над «Записками сумасшедшего» и «Бедными людьми», прочитанными заодно, сгоряча.

Вкусы мои, конечно же, после этого не изменились. Я по-прежнему читал запоем фантастику — Стругацких, Лема, Ефремова, Бредбери, Азимова, Кларка, Парнова (и утратил к ней интерес, когда советская фантастика превратилась в фигу в кармане). Ведь тогда, после запуска спутников и полетов первых космонавтов, этим был пропитан сам воздух. Казалось, вот еще чуть-чуть — и все сбудется и на земле, и в космосе, и люди, которые победили в великой войне и восстановили свою страну, достигнут всего, о чем только можно мечтать.

Родители выписали мне журналы «Юный техник», «Техника — молодежи» и даже «Науку и жизнь». Благодаря этим изданиям, которые наперебой объявляли конкурсы на лучший рассказ или повесть, я принялся сочинительствовать, писал в школьных двухкопеечных тетрадях романы о полетах на Марс и об Атлантиде и даже посылал в Москву...

Прочитанное меня переполняло — другого слова и не нахожу. Мне хотелось рассказать об этом родителям или дружкам, кому угодно. Мне хотелось привлечь внимание к себе — во что бы то ни стало, любой ценой. Это было свойство эгоистическое, почти патологическое, на грани эксгибиционизма. Когда мои дружки заскучали на «Ревизоре», я на ходу придумал, как Хлестаков трахает городничиху и ее дочку особенным членом. От старого зэка деда Семенова я слышал, что мужчины в лагерях вживляют в головку члена свинцовые картечины, чтобы в перерывах между отсидками лучше удовлетворять своих марух, и наградил этими картечинами Хлестакова. Дружки эту деталь одобрили.

Воображение мое было отважным и бездомным, как Эрос. Мой д'Артаньян такое вытворял с Анной Австрийской, что Дюма и не снилось. Но поскольку дружки книжек не читали, а видели только фильм Юннебеля, то они легко верили мне на слово, когда я говорил, что эти сцены в книге есть — просто они не вошли в кино. Но, конечно, больше всего им нравились истории про загадки пирамид, долины Наска, Ангкор-Вата, которые публиковались чуть не в каждом номере «Техники — молодежи» или «Науки и жизни».

Еще — еще я был прожектером. Прочитав в «Юном технике» о каких-то мальчишках из Сибири, которые под руководством учителя своими руками сделали подводную лодку, я предложил дружкам сделать то же самое. Корпус сделаем сами, кислородные баллоны украдем на мукомольном заводе. Или вертолет — на нем можно куда угодно улететь, а двигатель для него можно взять с полевой мехдойки: одноцилиндровый, но очень мощный. Пока дружки соображали, как бы вынести с мукомольного завода кислородные баллоны или стащить двигатель, я в своем воображении совершал дальние путешествия на подводной лодке и спасал не помню кого с оторвавшейся льдины, пилотируя самодельный вертолет. Этого мне было вполне достаточно, и когда дружки заводили разговор о кислородных баллонах, я иногда даже не понимал, о чем это они.

Летом моих друзей отправляли в пионерлагеря или увозили *на родину,* в деревню, где родились родители (у нас очень долго не могли привыкнуть к тому, что родина — здесь, а не в Белоруссии или на Ярославщине, и даже покойников иногда увозили хоронить туда, на те родины).

Оставшись один, я целыми днями валялся в саду с книжкой. Или уходил на весь день на реку. Или отправлялся на Детдомовские озера. Это было довольно далеко от дома, за последним мостом, у Гаража. Там стояла школа-интернат для олигофренов, которую называли детдомом, а озера, тянувшиеся вдоль Преголи и соединявшиеся с рекой протоками, — Детдомовскими.

На Детдомовских озерах было пустынно и тихо. Вот там-то и разворачивался мой драматический талант. Я рассказывал истории — вслух, играя роли всех героев и всех злодеев. Истории мои представляли мешанину из прочитанного, увиденного в кино и придуманного на ходу. Я прятался в кустах, поджидая врага, нападал, убегал, переплывал озера, спасаясь от преследователей, а потом валялся на чистом береговом песке, бездумно глядя в небо.

Если начинало подсасывать в животе, я ловил речных устриц-жемчужниц, варил их в консервной банке на костре и кое-как заглушал голод. Устрицы после варки напоминали кусочки резины. Но в поле и жук — мясо, как говорил дед Семенов, с которым люди боялись здороваться за руку, потому что однажды он на глазах у всех съел живую жабу — макнул ее мордой в соль и съел.

Иногда на Детдомовские озера приводили детей из школы-интерната.

В конце августа родители привозили их отовсюду на автобусах, в грузовиках, на мотоциклах, стригли наголо скопом в парикмахерской, которая на два-три дня по такому случаю закрывалась, одевали-обували в магазинах и отводили в низкое здание у Гаража, где они и проводили семь лет, осваивая программу начальной школы, навыки самообслуживания и ухода за скотиной. Когда какой-нибудь ученик в нашей школе особенно донимал педагогов тупостью и строптивостью, они кричали: «Тебе надо за реку! В школу дураков!» Именно так, школой дураков, все в нашем городке называли школу-интернат у Гаража.

Я убирался подальше от того места, где располагались лагерем дураки с их наставниками, и следил за ними издалека. Мальчишки кидали друг в дружку песок, ползали на карачках, боролись, а девочки смирно ждали, когда им позволят искупаться. Наконец кто-нибудь из взрослых мужчин — логопед или завхоз — заходил в воду по пояс, девочки снимали платья и с тихим поскуливанием лезли в воду. Мальчишки с криком бросались в озеро животом. И мальчики, и девочки были как будто на одно лицо — тупые и некрасивые. Мальчишки были в трусах, девочки — в трусах и майках. Минут через пятнадцать воспитатели выгоняли их на берег.

Но в тот день одна из старших девочек вдруг с силой заколотила руками и ногами, переплыла узкое озерцо и спряталась рядом со мной в ивняке. Она была довольно взрослой — у нее были широкие бедра, спелая грудь и животик, выпиравший из-под мокрой майки. Она сразу заметила меня и приложила палец к губам. Сняла майку и показала мне свою грудь с темно-коричневыми большими сосками. Похлопала себя по животу и улыбнулась, широко разведя колени и открыв рот, полный редких огромных зубов. Это было ужасно.

Еще ужаснее были завхоз и логопед, которые быстро перемахнули озеро и вломились в кусты. Я кинул последний взгляд на дурочкину грудь и бросился бежать. Логопед схватил дурочку и поволок ее на другой берег, а завхоз погнался за мной.

Я мчался по полю, не обращая внимания на колючки, потом — по тропинке в ивняке, потом скатился в какую-то ложбину, забился под куст на склоне и замер.

В городке было много разговоров о мальчишках и мужчинах, которые подстерегали старших дурочек у озера или где-нибудь еще, брюхатили, и школе-интернату приходилось потом ломать голову, решая, куда девать беременную четырнадцатилетнюю девчонку и что потом делать с ее ребенком. Возможно, завхоз думал, что я именно с этой целью и подманил дурочку. Мужчина он был крупный, зверообразный, и встречи с ним я совсем не хотел.

Я слышал, как он тяжело протопал где-то наверху, потом вернулся. Потом потянуло табачным дымом: видать, завхоз закурил с устатку. Я лежал мертвым мертв.

Не помню, сколько прошло времени, но впервые я пошевельнулся, когда заметил, что солнце садится. Наверняка дураков и дурочек увели в интернат. Я вылез из-под куста, сел и увидел на дне оврага женщину. Женщина, да-да, это была женщина. Женщина, а не свинья. В первый миг, когда я увидел тело внизу, на дне оврага, то подумал было, что это свинья. Заблудилась и сдохла. Но это была женщина. Схватившись за ветку, я присел, наклонился, не удержал равновесия, съехал на заднице, перевернулся на живот, ткнулся лицом в ее плечо и окончательно убедился: это женщина. Молодая голая женщина. Крупная, рыжеватая, коротко стриженная, с небольшой грудью, плоским животом, сильными бедрами и высоким круглым лобком, пылавшим как костер. Она лежала на спине, раскинув ноги, правая рука по плечо в песке, к левой груди пристал ивовый листок, глаза закрыты, на лице застыла улыбка, губы темно-синие, почти черные. Я положил дрожащую ладонь на ее живот — кожа не теплая и не холодная, белоснежная и гладкая. На четвереньках прополз вокруг нее, но не обнаружил на ее теле ни ран, ни синяков, ни ссадин. Приложил ухо к груди — сердце ее не билось.

Вдруг где-то в вышине ударила оглушительная птичья трель, и я в ужасе бросился вон из оврага, вскарабкался, присел на корточки, задержал дыхание, прислушался. Никого.

От страха у меня дрожали руки, а от счастья — кружилась голова.

В конце концов, мне не было двенадцати, и я впервые в жизни увидел молодую красивую женщину без трусов и лифчика. А в том, что она была красивой, не было никаких сомнений: *голые женщины некрасивыми не бывают*.

Наконец я осмелился снова спуститься вниз. Присел на корточки. Я думал о женщине, которая лежала передо мной. Она была похожа не на мертвую — скорее на спящую. Я мог трогать ее и вообще — делать что угодно, и она не пошевелится, не прикроет срам, не закричит, не влепит мне затрещину. Это было мое, только мое сокровище. *Лиарды*. Что-то темное и болезненное шевельнулось во мне. Я уже не чувствовал ни страха, ни радости.

Быстро выбравшись из оврага, я зашагал по полю, вслух считая шаги: «Раз, два, три, четыре...» У Гаража поднялся на мощеную дорогу, прошел мостом, считая доски тротуара — в прорехи между ними была видна река, и без колебаний вошел в здание на углу площади. На третьем этаже, под крышей, была библиотека, но мне нужно было на первый этаж, в дежурную часть милиции. За непокрытым дощатым столом сидел старшина, который играл с собой в шахматы и курил. Я рассказал о мертвой женщине в ложбине. Старшина надел фуражку, усадил меня в мотоциклетную коляску, и мы отправились к Детдомовским озерам. Убедившись в том, что я не вру, старшина вернулся в милицию и позвонил моему отцу. Куда-то вышел.

Через минуту в комнату вошли двое милицейских офицеров.

Один из них сел за стол, положил перед собой лист бумаги, макнул ручку в чернильницу и сказал:

— Теперь — с самого начала. Что ты там делал?

— Гулял.

— Просто — гулял?

— Просто.

— Ты ее знаешь? Имя? Фамилию?

— Нет.

Через полчаса приехал отец.

— Только не ври, — сказал он с порога, за руку здороваясь с офицерами. — Что тут у вас?

Капитан оправил гимнастерку и доложил.

Отец слушал молча, только кивал.

— Продолжайте, — сказал он, когда капитан замолчал.

Протокол был составлен с моих слов и подписан мною в присутствии отца. Пришлось рассказать и о том, как я прятался в кустах, и про дурочку, пытавшуюся сбежать из интерната. Это в протокол не вошло, но придало достоверности моему рассказу.

— Только не ври, — повторил отец, когда мы вернулись домой. — Ты ее трогал?

Я шмыгнул носом.

— Ладно, иди спать, — сказал отец. — А мне еще на работу надо.

Он ушел.

Я съел яичницу, выпил молока и закрылся в своей комнате. В голове было пусто. Пусто было и в сердце. Наверное, я устал.

Я взял книжку, которую вчера принес из библиотеки и прочел:

Есть бытие; но именем каким
Его назвать? Ни сон оно, ни бденье;
Меж них оно, и в человеке им
С безумием граничит разуменье.
Он в полноте понятья своего,
А между тем, как волны, на него,
Одни других мятежней, своенравней,
Видения бегут со всех сторон,
Как будто бы своей отчизны давней
Стихийному смятенью отдан он;
Но иногда, мечтой воспламененный,
Он видит свет, другим не откровенный...

Я не любил стихов. Вернее, я читал стихи, но это были патетические баллады Вальтера Скотта о пиктах и вересковом меде и месмерически зловещий шиллеровский «Лесной царь», то есть сюжетные произведения. Это же стихотворение было без сюжета. Однако в тот вечер каждое слово было мне внятно, и внятны были волшебная музыка слов и волшебная музыка мысли, и почему-то все это вызывало горечь и боль.

Я вскочил, проверил, нет ли кого за дверью, еще раз перечитал стихотворение — и зарыдал, зарыдал...

Как же сладки, как упоительны были мои слезы!

Как хорошо и светло было мне плакать!

Как отчаянно и светло, о господи!

Никогда в жизни больше я так не плакал.

Глава 4. Свиньи, змеи и звезды

О том, что я нашел мертвую женщину, на следующий день знал весь городок. Вскоре начались занятия в школе, и дружки не давали мне прохода. На переменах старшеклассники готовы были поделиться со мной сигаретой с фильтром, чтобы выслушать историю о голой мертвой женщине, которую я нашел на Детдомовских озерах. Все жалели о том, что у меня не оказалось с собой фотоаппарата. Татуированный с ног до головы Синила деловито поинтересовался, трахнул ли я эту женщину: «Или хотя бы подрочил от души?» Вскоре мне надоело рассказывать одно и то же, а придумывать новые обстоятельства и детали на этот раз не хотелось.

Через несколько месяцев выяснилось, что женщина была приезжей, из Смоленска. Бежала с любовником от мужа, который настиг ее в нашем городке и убил ударом шила в спину. Суд состоялся в фабричном клубе, но зрителей не пускали. Моя мать была народным заседателем, и дружки требовали от меня подробностей. Никто не верил, что мать ничего не рассказывает дома. Но она и в самом деле ничего не рассказывала. Преступнику дали пятнадцать лет, как Косте Мышатьеву, убившему своего друга-плясуна Жору Канделаки.

Кстати, дурочка, которая переплыла озеро и попыталась спрятаться в кустах, была беременна. Вскоре она родила. Говорили, что ее устроили телятницей в совхозе и даже выдали замуж за такого же выпускника школы-интерната.

Осенью я снова начал болеть, но в больницу меня укладывать не стали. Дома мне было одиноко и тоскливо. Я всегда мечтал об одиночестве, но переносил его плохо. На мою беду отец принес со Свалки книгу «Служебная собака». А после фильма «Ко мне, Мухтар!» все мальчишки мечтали о своем Мухтаре, сильной, умной и верной овчарке. Дед Семенов вручил мне щенка от своей псины, очень похожей на овчарку. Родители поспорили. Отец прочитал суровую лекцию о порядке и ответственности, но скоро сдался. Так у меня появилась своя собака — я назвал пса Джимом.

В городке было много собак. Некоторые прибивались к какому-нибудь двору, их прикармливали, и они считались своими. Настоящих служебных собак можно было встретить только в одном месте — у железнодорожного моста: четыре матерых пса с черными спинами круглые сутки бегали по огороженным колючей проволокой участкам, охраняя важный стратегический объект. А наверху, в будках, дежурили женщины в шинелях, с длинными винтовками. На мосту висела табличка, запрещавшая лодкам и катерам после десяти вечера проплывать по реке, и все в городке рассказывали историю о злой охраннице, которая выстрелила в нарушителя — Диму Смородкина, но, слава богу, пуля попала в лодочный мотор. Эту злую охранницу знали все и называли «двухсбруйной»: иногда она пускала в свою постель мужчин, но больше любила пьяненьких девчонок.

Джима поселили в садовом домике. Сто раз на дню я бегал его проведать, носил еду, убирал за ним и гулял, надев на него настоящий брезентовый ошейник. Целую неделю я был счастлив. А потом Вероника Андреевна сказала, что мне можно ходить в школу, наступила холодная промозглая осень, и гулять с Джимом мне стало некогда. Я по-прежнему приносил пачки книг из библиотеки, а тут эта собака...

Щенок быстро рос и вскоре превратился в колченогого уродца.

— Рахит, — сказал отец. — Проморгали.

Я стал хозяином уродца, с которым было стыдно показаться на улице. Дружки посмеивались. Когда родители были на работе, я держал Джима взаперти, все чаще он сидел голодным и выл, и это было очень неприятно.

Наконец однажды отец сказал:

— Хватит. Не получилось. От Джима надо избавиться.

Я понимал, что он прав, мне было стыдно, и ждал, что отец сам как-нибудь уладит это дело: отведет Джима куда-нибудь или кому-нибудь отдаст.

— Нет, — сказал отец. — Ты должен сделать это своими руками. В первый и в последний раз в жизни. Сам. Чтобы потом никогда не приходилось этого делать.

— У нас нет ружья, — угрюмо сказал я.

Отец молча протянул мне молоток.

Я сунул молоток в карман пальто, взял Джима на поводок и пошел в лес.

До леса было километра полтора-два.

Джим обрадовался прогулке, скакал вокруг меня — неуклюжий, веселый, уродливый. В лесу я привязал его к дереву. Достал из кармана молоток. Зажмурился и ударил. Джим завизжал. Это оказалось труднее, чем я ожидал, гораздо труднее. Я ударил его, ударил еще раз. Он визжал, лаял, подвывал, а я его бил — куда придется. Наконец он затих. Я не мог на него смотреть. Бросил молоток и побежал домой. С полдороги вернулся: нельзя было оставлять молоток в лесу. Но до леса не дошел, повернул назад, снова побежал, прошел к себе, залез под одеяло. Родители ни о чем не спрашивали.

А на другой день Джим вернулся. Перегрыз веревку и вернулся домой. Окровавленный, весь в каких-то струпьях. Я ему, видно, что-то сломал. Он приполз, весь окровавленный, голодный, приполз домой, ко мне, виляя хвостом. Я подошел к нему, и он лизнул мне руку. Это было невыносимо.

Отец сжалился надо мной. Он накормил Джима и куда-то отвел, а потом сказал: «Всякое дело надо доводить до конца». Он проговорил это, не повышая голоса, сухо, глядя на меня в упор. Я залез под одеяло и укрылся с головой. Я думал, что умру, но не умер.

На следующий день в школе ко мне подошел один из дружков, довольно хилый парень, и спросил о Джиме. Я был примерно такого же сложения, что и он, и Джим переполнял меня. Я ударил парня в лицо. Это было впервые в жизни. На берегу реки, в лесу мы с дружками часто боролись, но борьба — это не драка. Я ударил кулаком этого Костю в лицо и бил, пока он не сбежал, согнувшись и держась за голову. Это произошло в классе, на глазах у всех. На следующей перемене в туалете незнакомый парнишка спросил меня про женщину на Детдомовских озерах — я ударил его в лицо. Он ответил. Я снова ударил и набросился на него. Парнишка оказался крепким, но я оказался злее. Вернувшись в класс, я подошел к дружку Матрасу, который стоял у окна и подозрительно ухмылялся, и врезал ему в нос. Матрас был сильным парнем, гораздо сильнее меня. Первым же ударом он разбил мои очки, вторым чуть не сбил меня с ног. Мы стояли у доски и дрались, били в лицо кулаками, не уклоняясь, молча, били и били, пока в класс не вошла учительница, которая с воем бросилась к нам и попыталась разнять. Нас обоих, окровавленных, отвели к директору школы, но говорить мы не могли.

На следующий день я подошел к Матрасу и хмуро предложил мир. Он так же хмуро кивнул и протянул согнутый мизинец. Мы помирились. Помирился я и с Костей, и с тем парнишкой, которого избил в туалете. Больше я в школе никогда не дрался.

Когда я возвращался после уроков домой, меня остановил Ирус, король Семерки.

Говорили, что отцом его был «зеленый брат», убитый чекистами где-то в литовских лесах. Мать Ируса редко появлялась на улице. У нее были безумные черные глаза и густые черные кудри до пояса. Считалось, что она ненавидит советскую власть, погубившую ее мужа, и прячет под подушкой пистолет «вальтер». «Вальтер эсэс», — уточняли пацаны. Но моя мать говорила, что несчастная женщина никогда не была замужем и страдает алкоголизмом.

— А правду говорят, что ты псих? — спросил Ирус. — Троих за день уделал — правда?

Я сжался.

Ирус был лет на десять старше. Худощавый широкоплечий парень, у которого было несколько приводов в милицию за драки. В округе были парни гораздо крепче на вид — здоровенные и дерзкие, но в поединке с Ирусом они проигрывали: он был чертовски ловким и хитрым бойцом, который умел уворачиваться от прямых ударов и бить наверняка — да с такой силой, что огромный амбал даже не сразу понимал, что случилось, а уже лежал на земле. Кроме того, он был пижоном и стилягой, то есть носил брюки-дудочки, остроносые туфли с заплатками и танцевал твист.

Я боялся, что кто-нибудь из тех, кого я побил, был из компании Ируса и теперь мне предстояло схлопотать от самого короля.

— Ну, — буркнул я.

— Покурим?

Разумеется, я хотел покурить в компании с Ирусом, хотя до того не курил ни разу.

Мы отошли за угол, и Ирус угостил меня «примой».

Я закашлялся, но выкурил сигарету до ногтей.

— Ну бывай. — Ирус хлопнул меня по хилому плечу. — Если будут приставать, скажи мне: разберемся.

Так я стал своим в компании Ируса, короля Семерки.

Впрочем, это сильно сказано — «своим»: многие ребята никогда не забывали о том, что мой отец — заместитель директора фабрики, большой начальник, от которого зависели их родители. «Твой отец — барин, — сказал мне однажды Костя, тот парнишка, с которым я подрался. — А мы — рабы. Все рабочие — рабы». Я стал кричать, что мой отец никакой не барин, а рабочие — никакие не рабы, потому что у нас социализм, а не капитализм. Но Костя только улыбался и покачивал головой. Он с отцом и матерью жил в жалкой комнатушке, без кухни и туалета, обедал и ужинал картошкой с селедкой, а я жил в красивом немецком доме под черепичной крышей, в просторной квартире, за моим отцом по утрам приезжала служебная «Победа», и бутерброды у меня были — не черный хлеб, политый постным маслом и посыпанный сахаром, а белый с маслом. Едва завидев меня, дружки хором кричали: «Сорок восемь, половинку просим!» И я отдавал им весь бутерброд, потому что мне было стыдно кричать: «Сорок один, ем один!» Впрочем, не прошло и десяти лет, как родители Кости купили цветной телевизор, три ковра и машину, тогда как у нас в гостиной все еще хрипел черно-белый «Темп», и до пятнадцати лет я донашивал за отцом рубашки, рукава которых были выше локтей подхвачены резинками. Но это, конечно же, ничего не меняло: я оставался «директорским сынком». В этом был только один плюс: парни, привыкшие все проблемы решать при помощи кулаков, меня не трогали...

С жестокостью я столкнулся сразу же, как только пришел в первый класс, и эта жестокость не была чем-то исключительным, она была нормой жизни. Чаще всего заводилами драк были ребята из ближних сельских поселков и из Питера, где жили цыгане и оцыганенный народ. Родители давали нам пять-десять копеек на буфет, где продавали пирожки с повидлом и с рисом, и стоило зазеваться, как по пути в класс питерские выхватывали у тебя пирожок, иногда уже надкушенный.

При игре в «чик» на земле проводили черту, на нее выкладывали столбиком монетки — ставки, игроки по очереди бросали биту, стараясь попасть в столбик монет или хотя бы как можно ближе к нему. Тот, чья бита оказывалась ближе к монетам, бил первым. Если после удара битой монетка переворачивалась, игрок ее забирал. Если ему везло, он забирал все деньги, если нет, — бил следующий игрок. Ставки были копеечными в буквальном смысле слова. И из-за этих копеек подчас разгорались настоящие сражения.

Маленький прокуренный Фролик, проиграв копейку или две, сжимал в кулаке свинцовую биту и бросался в драку. Его отталкивали, били, он хрипло орал, дрался ногами, выл по-собачьи. Его родители работали на мукомольном заводе, получали гроши, сыну ничего не давали, и за пирожок или гнутую копейку Фролик готов был на все. К счастью, в игре ему чаще всего везло, и хотя многие считали, что он жульничает, связываться с этим маленьким придурком никому не хотелось. Он жил в крошечной квартире без удобств, как и большинство моих дружков, — жил с пьющим отцом-инвалидом, истеричной матерью, тремя братьями и сестрой в тесноте, жил *тесной жизнью,* которая так часто превращает русского человека в несчастную темную скотину.

Наша классная руководительница называла таких, как Фролик, грызунами. Может быть, она имела в виду страсть «грызунов» к семечкам — они всегда грызли семечки, они, их друзья, их родители и родственники, все.

Однажды я сказал, что люди, грызущие семечки, — жалкие недоумки и обыватели.

Отец ответил мне примерно следующее: «Человек, грызущий семечки, это и есть тот человек, ради которого случаются все войны и революции. Он сидит на лавочке и грызет семечки, и мимо него несут то Ленина, то Сталина, а он грызет семечки. Колесо, парус, весло, Достоевский, пулемет Максима и атомная бомба — все ради человека, грызущего семечки. Ради обывателя, который грызет семечки вот в таком маленьком городке, как наш. В маленьких городках история делается, а в столицах она записывается. И историю эту делает человек, грызущий семечки, потому что он убирает трупы, вставляет стекла, жарит яичницу и дает сыну десять копеек на кино. Он беден, прост, наивен, он никогда не напишет «Войну и мир», не изобретет порох и не выговорит слово «экзистенциализм», но государство — ради него. Оно не для гениев — для неудачников, для простаков и увечных. У нас человек, грызущий семечки, это тебе не французский человек, грызущий семечки. Наш вместе с другими, такими же как он, был вынужден и воевать, и кровью срать, и по лагерям кайлом махать. А потом вернулся домой, сел на лавочку и принялся за свои семечки. Ось мира, его оплот и ограда. И если ты однажды заглянешь в душу человека, грызущего семечки, и не найдешь там ни любви, ни ненависти, ни пропастей, ни высей, ни дьявольской тяги к саморазрушению, ни страсти к божественному полету, — грош тебе цена».

На самом деле отец произнес слов десять-пятнадцать — остальное я додумал задним числом, но за смысл — ручаюсь. Впрочем, смысл этот доходил до меня постепенно, очень долго.

Дрались беспрестанно. Дрались в школе, после школы, на речных пляжах, на улице, у магазинов, где мальчишки ползали в пыли, выискивая копейки, оброненные покупателями, дрались из-за пустых бутылок, которые мужчины оставляли в ивняке у реки.

Ирус рассказывал о драках, в которых он участвовал, и мы, мелочь, слушали его с завистью и гордостью за короля. Чаще всего он рассказывал о драках в армии — наши против «чурок», о драках на танцах и после танцев.

Клуб, где устраивались танцы, находился в конце Семерки, вечером в субботу и в воскресенье туда толпами шли парни и девушки, а потом я слышал, как трещали заборы по улице, из которых выдирали штакетины, и свистели солдатские ремни с заточенными пряжками — идеальное оружие ближнего боя. Семерка против Питера — это была нестихающая война. Подрастали новые бойцы, и война разгоралась с новой силой. Ножи в ход пускали редко, разве что в драке с чужаками, например с армянами-строителями, и били в задницу: настоящий пацан с такой раной в больницу не пойдет.

Так что драки, устроенные мною в двенадцать лет, были событием сильно запоздавшим: мои дружки дрались с первого школьного дня. Впрочем, мне везло: в нашей компании только я был слабаком — остальные были ребятами крепкими, мускулистыми и вступали в бой не задумываясь, как их отцы на войне. И в обиду меня не давали.

А Фролик кончил плохо. Когда колхозы-совхозы стали избавляться от лошадей, просто выбрасывая их в чисто поле, — и несчастные животные тогда бегали по заснеженным полям, со сбившимися гривами, тощие, обезумевшие, жалкие, — Фролик, любивший покататься верхом, ловил этих лошадей, а потом обливал бензином и поджигал. Дед Семенов говорил, что у Фролика в голове мышь сдохла. Однажды его обнаружили в поле за городом, скрюченного и полусгоревшего, рядом с мертвым полусгоревшим конем: оба были добиты одной и той же картечью, но хозяина ружья так и не нашли.

Я поздно научился плавать и еще позже, чем дружки, прыгнул с водопада.

Река Лава была подперта бетонной плотиной, отводившей воду по каналу к Свалке и мукомольному заводу. Ниже плотины образовывалось широкое поле неспокойной воды с песчаным островком посередине, поросшим ивняком, и дальше река текла мимо бумажной фабрики, под железнодорожным мостом и возле бани встречалась с Преголей.

Прыжок с плотины был не таким уж простым делом: слева и справа в воде прятались ржавые опоры немецкой электростанции, а в глубине были навалены громадные камни, оставшиеся после взрыва верхней части плотины.

Несколько раз я спускался с берега и доходил до середины плотины, стоял по пояс в бурлящей воде, но пробежать вниз по бетонному сливу и прыгнуть в бушующую пену — не отваживался. Все прыгали, я — нет. Пора было этому положить конец.

Летней ночью с дружком Колей мы отправились на водопад. Прошли огородами, спустились на берег, переплыли канал, выбрались на бетон, полежали — камень отдавал дневное тепло. Потом я встал, спустился в воду и двинулся вдоль гребня плотины. За мной пошел Коля. Водопад ревел, внизу пена дыбом стояла метра на три в высоту, и видны — светила луна — бревна и доски, проносившиеся мимо и кувыркавшиеся в волнах. Я смотрел на песчаный островок, поросший ивняком. До него и надо было добираться. Я сто раз слышал все эти разговоры. И что дурить не надо, когда после водопада сразу утянет на дно, и не дергаться туда-сюда, потому что через секунду-другую тем же течением тебя выбросит наверх, и тогда все только от тебя зависит: держись подальше от сильных течений и правь на остров, а там — само вынесет. Все равно — страшно. Когда мы остановились на середине бетонного гребня, я весь состоял из одного желе. Из ужаса. Вниз по бетонному сливу неслась какая-то всклокоченная стекловидная масса, которая при падении с порога плотины вздымала волну и пену. Двадцать шагов под уклон, толчок — и ты влетаешь в эту стеклянно-пенную стену, а дальше — пан или пропал. Я не раздумывая бросился вниз, скользя на водорослях, которыми был покрыт бетон, толчок, ух, и вот я уже утратил все ориентиры, где небо, где земля, где что, неизвестно, — летел вперед и вниз, и вниз, и глубже, и боялся закрыть глаза, хотя вокруг была только кипящая, бурлящая, пузырящаяся тьма, меня подхватило течением, перевернуло, еще и еще, потом выбросило наверх, я ударился боком и плечом о что-то огромное, как будто шерстистое, отпрянул, вокруг всплески воды, волны, пена, какие-то доски, а впереди — песчаный остров, но уже через два-три взмаха руками я понял: рано, течение еще не наигралось мною, и пусть играет, важно на плаву держаться, а когда почувствуешь, что оно сдает тебя другому течению, можешь грести изо всех сил, сейчас ты в своей воле и власти, и я никогда в жизни не греб с таким остервенением, и мчался по течению, пока пузом не въехал на песок, вскочил, упал, прополз на четвереньках до кустов и рухнул — эвер! Я здесь! Все!

Рядом со мной лежал Коля — он тяжело дышал и улыбался.

— Что там? — вдруг спросил он.

Неподалеку на песке лежало что-то длинное и темное.

Мы подошли. Это был бык. Бычок. Видимо, отбился от стада, упал в реку выше по течению, утонул, и течением его принесло сюда, к водопаду. Я понял, что это было большое и шерстистое — там, среди бушующей воды.

Мы преодолели неглубокую протоку, оделись и двинулись домой.

— Завтра на Пашню? — спросил Коля.

Я кивнул.

После войны в Восточной Пруссии осталось много боеприпасов и оружия. Все это добро, разумеется, военные собирали, вывозили, а ненужное — взрывали. Но если собрать в одном месте на поле и подорвать миллион снарядов, патронов, бомб и гранат, сдетонирует только часть припасов. Их снова собирали и взрывали, потом перепахивали землю и снова подрывали. Вот это место и называлось Пашней. Она находилась километрах в семи-восьми от городка. Ездить туда запрещалось под страхом строжайшего наказания. В городке не так уж редко встречались люди с оторванными пальцами, а то и без конечностей. Брат школьного завхоза лишился кисти руки и глаза, когда попытался разрядить фаустпатрон. Мой одноклассник бросил в костер зенитый снаряд и погиб. И все равно мужчины глушили рыбу тротиловыми шашками, кое-кто хранил в тайнике то немецкий карабин, то пистолет: хорошую вещь просто жалко выбрасывать.

На следующий день мы компанией отправились на Пашню. По лесным дорогам, мимо воинских частей — вышки с часовыми виднелись далеко между верхушками сосен. Приехали. Огромное поле, изрытое воронками, которые были залиты дождевой водой. К тому времени Пашня оскудела, но нам все же удалось выкопать десятка три-четыре снарядов и найти авиабомбу. Снаряды были, видимо, авиационными, небольшого калибра. Порох нам был не нужен, а вот головные части мы аккуратно развинтили и добыли столбики алюминиевого цвета, взрыватели и детонаторы. Авиабомбу попытались разделать при помощи ножовки по металлу, но потом здравый смысл все-таки взял верх. С большим трудом подвесили бомбу на ветке сосны, развели под ней костер, дождались, когда рванет, и смылись.

Наш сосед дядя Митя был командиром саперной роты, воевал в Маньчжурии, а уволили его из армии уже по приказу Хрущева, в 61-м. В потайном месте на чердаке, которое, разумеется, нам было хорошо известно, он хранил книги — наставления по саперному делу — и большой моток бикфордова шнура. Надев противогазы и вставив детонатор в деревянный чурбак, мы при помощи ручной дрели проделали в ударном детонаторе крошечную дырочку (один при этом рванул — выколупывали потом из голов щепки). Теперь можно было собирать взрывное устройство. Алюминиевые столбики оказались гораздо сильнее тротила. Отъехали от городка несколько километров, пристроили самодельную бомбу в заброшенном кирпичном строении у железнодорожной насыпи, подожгли шнур и бросились бежать. Но длину шнура не рассчитали — рвануло, когда мы еще были на рельсах. Над головами — шквал кирпичных и бетонных обломков, с воем жикнула над нами скрученная штопором железная ржавая двутавровая балка, упала, срезала ежевичник метров на пятьдесят, замерла. Только тогда мы и испугались. Эта балка могла запросто посносить наши дурные головы.

Но страсть к опасным приключениям мало-помалу прошла.

Мы взрослели, наш мир менялся, и в нем случались взрывы посильнее тротиловых.

В наш городок пришли мини-юбки, и взрослеющие мальчишки вдруг увидели, что у их одноклассниц — и не только у них — есть ноги. Ножки. У некоторых — просто замечательные. «Фигурка» умерла — родились «ножки». Занудная учительница физики превратилась в богиню, потому что у нее были умопомрачительные ножки. За красивые ножки Люсендре Филиной, которая и в старших классах читала по слогам, прощали и тупость, и прыщи, и гусиный смех. И вдобавок среди наших девочек изредка встречались не просто длинные, но — высокие, что было редкостью для поколения, родившегося в пятидесятых и выросшего на картошке с салом.

Королевы веселой фальши с их американскими фигурами и ногами — Любовь Орлова, Марина Ладынина, Мария Бабанова — в пятидесятых уступили актрисам народной правды — Нонне Мордюковой, Людмиле Хитяевой, Элине Быстрицкой с их мощной скульптурной красотой, пылавшей на всю страну, как храм божий на горе, и поражавшей с первого взгляда, но в середине шестидесятых изменился актерский тип, и героинями подростковых грез, студенческих общежитий и солдатских казарм стали изящные Наталья Варлей, Наталья Селезнева и Ирина Печерникова, скромные иконы в этом храме, иногда даже с печатью одухотворенности на лицах.

Дед Семенов посмеивался:

— Фигурка, ножки... похоже, до настоящей правды вы еще не доросли...

— Правды? — удивился я.

— До жопы, — снисходительно пояснил старый зэк. — Настоящая правда женщины — это ее жопа. Сердце и жопа — вот и вся баба. Иногда сердце, чаще — жопа.

Я сижу на вишенке,
Не могу накушаться.
Дядя Ленин говорит:
Тетю надо слушаться.

С этого начиналась инициация в детском саду, в котором, правда, я провел всего один день. И не потому, что тетя была такой уж плохой или мне не нравился дядя Ленин, щурившийся на портрете в игровой комнате, — вовсе нет. Дело было только в том, что я оставил недопитый в обед компот на столе, сказав, что допью после дневного сна, а когда пришел в столовую, увидел, что компота нет. Это меня возмутило. Я молча перелез через забор и пошагал домой — через два моста, железнодорожный переезд, мимо водокачки, километра полтора-два.

Родители вздохнули, но наказывать меня не стали: они тоже слышали выражение «несадешный ребенок».

В школе нас приняли в октябрята. Родители купили в книжном магазине звездочку с портретиком маленького Ленина, и на следующий день нас, одетых в белые рубашки и одуревших от волнения, приняли в ряды октябрят, «ленинских внучат».

Старшие ребята с пионерскими галстуками прикалывали звездочки к нашим рубашкам и салютовали. Рядом со мной стоял парнишка, который был на голову выше любого в нашем классе. Он носил расклешенные брюки и белый свитер. Нас уже научили: хочешь выйти в туалет — подними руку и попросись. А этот парень запросто выходил из класса, бросив учительнице небрежно: «Поссать». Или: «Посрать». На уроках он постоянно что-то жевал, вытирал руки о свитер, а если его спрашивали, густо краснел и начинал кричать что-то невразумительное. Когда ему прикололи к свитеру октябрятскую звездочку, он покраснел и громко пукнул. Потом еще раз. Потом сказал: «Посрать» — и выбежал из актового зала. Через неделю его отправили «за реку», в школу-интернат для олигофренов.

Учителя качали головами: «Это надо было сделать сразу, а не мучить ребенка. Если б не его родители...» Отцом его был командир ракетной бригады, который никак не мог смириться с тем, что его поздний ребенок умственно неполноценен.

Перед приемом в пионеры нас заставили выучить наизусть клятву юного ленинца, но поскольку произносили мы ее хором, всем классом, то мое невнятное блеяние осталось незамеченным. Я страдал, мне хотелось выучить ее наизусть, но так и не смог.

Пионерский галстук полагалось каждый день стирать и гладить.

Поначалу мы все носили галстуки с гордостью, но потом — потом, когда старшие ребята (да и разбитные ровесники) при встрече стали говорить: «А хули ты с селедкой?», мы — мальчишки прежде всего — сразу после уроков снимали галстук и прятали в карман. А уж в шестом-седьмом классах, незадолго до приема в комсомол, ходить с пионерским галстуком на шее стало просто западло. Впрочем, почти никаких неприятностей членство в пионерской организации не доставляло. Хорошо учиться, беречь природу, сдавать металлолом, любить родину — да нас и без «селедки» заставляли это делать.

Когда же речь зашла о приеме в комсомол, пришлось зубрить устав ВЛКСМ. Вот это была мука. В отличие от дружков, я не терялся перед трудными словами и их сочетаниями вроде «демократического централизма» или «первичной организации», но память моя, как я уже говорил, была чрезвычайно избирательной, поэтому заучивание устава стало для меня настоящим испытанием.

Я был влюблен в Анечку Татарскую, отличницу в отчаянной мини-юбке, с красивыми ножками, идеальной фигурой и маленькими припухшими губами, а она была секретарем нашей комсомольской организации и относилась к своим обязанностям серьезно. По вечерам мы с ней гуляли часами, в темных местах я обнимал ее за плечи — она не возражала, но дальше этого дело не шло: Анечка была умной и твердой девочкой. На груди она носила двадцатикопеечную монету, висевшую на серебряной цепочке: память об отце, который бросил семью, швырнув дочери на прощание двадцать копеек «на мороженое». Об этой монетке знали только она и я.

— Ну выучи, — умоляла она, — ну пожалуйста!

— Ладно, — сдался я. — Но при одном условии.

Она зажмурилась и кивнула.

Вечером я сосредоточился, разобрался в структуре устава, понял все, что следовало понять, и наутро готов был отвечать на любой вопрос. Но этого не потребовалось. Нас принимали в комсомол класс за классом — а это примерно сто пятьдесят — сто шестьдесят человек. Члены комитета и учителя вскоре устали. Наша классная руководительница смотрела в окно и вздыхала. Всем задавали одни и те же вопросы, и когда я начал рассказывать о демократическом централизме, меня остановили, похвалив за доскональное знание устава. У Анечки покраснела сначала шея, потом лицо, потом даже коленки, кажется, покраснели.

Была ветреная осень, вечер, мы забрались в домик на территории детского сада, Анечка подставила губы, потом я расстегнул на ней куртку и джемпер, потом она сама подняла юбку и легла на узкую скамейку. Ничего не было, я только оставил влажные следы на ее животе.

— Когда-нибудь, — сказала она, едва шевеля распухшими и кровоточащими губами, — я выйду за тебя замуж и рожу ребенка. — Голос ее дрогнул. — Двоих, троих, пятерых детей — сколько захочешь. С удовольствием. С наслаждением. Но ты и сам не представляешь, какой ты опасный человек. Ты слишком любишь себя, только себя. Живешь так, словно вокруг тебя — одни мертвецы.

Через неделю нас на автобусе отвезли в райком комсомола, где спрашивали об уставе, а потом поздравляли и вручали комсомольские значки.

На обратном пути, когда никто за нами не наблюдал, Анечка брала меня за руку.

Всю зиму по вечерам мы гуляли в обнимку. Или катались на коньках — сначала по ухабистой улице, а потом перебирались через дамбу и отправлялись в дальнее путешествие по реке, разлившейся до Детдомовских озер. Однажды мы провалились под лед, я помог Анечке выбраться, и мы, оба мокрые и продрогшие, полтора километра мчались на коньках против ветра, пока не добрались до дамбы, от которой до дома было рукой подать.

Разошлись мы лишь однажды, когда она и ее подружки стали восхищаться поэмой «Галина» Асадова. Я попытался возразить — ведь мы вместе читали Боратынского — Анечка с гневом закричала: «Но он же слепой!»

Что ж, общественный вкус — это баланс высокого и низкого, а достигается он всегда за счет высокого.

Размолвка наша, впрочем, длилась только до вечера.

Она окончила школу с золотой медалью, престижный московский институт — с красным дипломом, счастливо вышла замуж и родила двоих детей.

Ввод советских войск в Чехословакию вызвал у нас, у мальчишек, взрыв восторга: *наши надавали ихним.* Наконец-то случилось что-то *настоящее.* Мы рассказывали друг другу фантастические истории о великих сражениях, о посрамленной западногерманской армии, которая сунулась было в Чехословакию, но получила по сусалам. Знай наших! Откуда брались эти истории — не знаю. Военнообязанных мужчин — отцов моих дружков — срочно призвали в армию, в «партизаны», и по возвращении из Европы они рассказывали о бедных голодных польских мальчишках, которые выпрашивали у наших танкистов хлеб, и о восточногерманских бедных лесниках, семьи которых питаются картофельными очистками. Истории «партизан» были какими-то пресными: ехали там, потом развернулись и заняли позицию, видели то-то, кормили так-то — и ни слова о боях. А как же «батарея, залпом!», где же горы вражеских трупов, где сдающиеся толпами противники и знамя над поверженным рейхстагом? Эх...

Весной следующего года вернулся со службы Матрос, парень с нашей улицы, который участвовал в мартовских боях на советско-китайской границе и даже был ранен. Остров Даманский был тогда у всех на устах. Мы тормошили его, расспрашивали, и Матрос пытался рассказать о том, как он с товарищами стрелял из дота по наступающим китайцам, как меняли стволы автоматов, как от перегрева заклинивало оружие, как было страшно, когда патроны подошли к концу. Но рассказы его были невразумительными, *негероическими.* Матрос пил водку, багровел, сбивался, начинал бормотать что-то и шептать: «Не дай бог... не дай бог...»

Наши девушки скучнели, когда мы заводили такие разговоры: «Опять вы про политику...»

Но Чехословакия и Даманский — это была не политика, политикой были Солженицын, «Один день» которого многие читали, и Сахаров — создатель водородной бомбы, академик, черт возьми, трижды Герой, черт возьми, а значит, *большой начальник,* деньжищи-квартира-дача-машина, который какого-то черта взялся выступать против советской власти. Непонятно...

Мои родители о политике почти никогда не говорили, потому что знали: за политику сажают. Тото же я был удивлен, когда отец однажды отбросил газету и с мрачным видом проговорил:

— Сталина обосрали, Хрущева обосрали... если и этого обосрут, народ вообще веру потеряет... во все это и в этих... а вера — надо же во что-то верить, иначе народ вообще вразнос пойдет, обязательно пойдет — не удержишь...

«Этим» был, конечно, Брежнев.

– Как это можно в людей верить? — удивилась бабушка. — Верить можно только в Бога. В человека верить — грех.

— Бог! — Отец махнул рукой. — И что такое твой бог? Ты его видела? Знаешь?

— Бог — это когда можно, но нельзя, — сказала бабушка, вшивая нитку от савана в мою рубашку: чтобы хвори меня не брали. — Я Его, конечно, не знаю, но Он-то меня — знает.

Бабушка продала дом на Украине и перебралась к нам. Ей выделили четвертую комнату, которую раньше использовали как кладовку. Она привезла с собой черную иконку, которую первым же делом пристроила в углу, и портрет сурового усатого мужа с Георгиевскими крестами на пиджаке, села в уютное немецкое кресло и сказала: «Что ж».

В первый же вечер за праздничным столом — отмечали ее приезд — бабушка рассказала о том, как родился Василий, мой отец, и как спустя несколько дней к нему пришла бабушкина прабабушка. Это было в июле 1919 года. Прабабушке бабушки было больше ста двадцати лет, она одиноко жила в лесу на хуторе, сплошь заросшем паутиной, но кто-то ей сказал о рождении праправнука, и эта слепая стодвадцатилетняя старуха поднялась с постели из паутины, взяла посох, босиком преодолела двадцать пять верст по лесным дорогам, по которым двигались то немцы, то литовцы, то красные, то еще какие-то вооруженные люди, вошла в дом, провела ладонью по лицу ребенка, сказала: «Мужчина», выпила стакан самогона и сразу ушла, а через месяц умерла. Нитку из ее савана бабушка долго берегла и вот вшила в мою рубашку.

По такому случаю достали семейный фотоальбом. Я его не любил: на половине снимков был запечатлен я — в пеленках, на детском стульчике, на руках у няньки, у матери, у отца, в каком-то убогом пальтеце, в резиновых ботах и странной плюшевой шапке, с мрачным взглядом все повидавшего человека, который знает наперед все, что будет под этими небесами. Иногда родители перебирали эти фотографии, звали меня, умилялись, вспоминая, как я помочился на грудь матери и как рисовал на стене своими какашками.

Но на этот раз меня заинтересовали фотографии, на которые раньше я и внимания-то не обращал. Вот молоденькая мать в офицерском кителе с погонами: «А я была следователем военной прокуратуры, за дезертирами в начале войны гонялась... это же страшное дело, сколько было дезертиров на Тамбовщине... едешь ночью мимо скирд сена, а они там, в скирдах, на гармошке играют, песни поют, и девушки визжат...» Вот мать в полушубке за письменным столом: «Сталинград, конец сорок второго...» Вот незнакомое женское лицо: «Это вторая жена Васина». Вот отец в буденовке, вот — в танкистском шлемофоне, а вот его портрет в обрамлении виньетки с вплетенными в нее изображениями экскаваторов, отбойных молотков и прочих инструментов: «Лагерь «ее» литера «л», Сталинградгидрострой, перед освобождением». Вид какого-то городского двора: «Здесь я жил, когда учился в танковом училище. Соседом был брат Лидии Руслановой, той самой: валенки-валенки, знаменитый был налетчик, грабил эшелоны с американским маслом, ездил на тройке с медвежьей полстью, потом его расстреляли». Вот опять мать — прическа валиком, растерянное лицо: «Это я снова с девичьей фамилией. После суда Вася попросил, чтобы я развелась с ним, но это не помогло: в Саратове юристом я устроиться не смогла, пришлось уезжать сюда... а после освобождения и он приехал...»

Еще бабушка вспоминала о своих предках — о белорусах, русских и поляках (русскими в Белоруссии считались тогда все православные, а поляками — все католики), о католиках, униатах и православных, об офицерах, участвовавших в подавлении польских восстаний со времен Костюшко, и о повстанцах, которые стреляли в своих братьев, служивших у графа Муравьева, о торговле мореными дубами, кормившей деревню, и о белорусском голоде, когда от весеннего хлеба из сосновой коры с лебедой животы у детей становились зеленоватыми, о загадочных белорусских болезнях — мрое и колтуне...

Когда родители ссорились, поминая друг дружке былые обиды, бабушка пыталась остановить их: «Не зови черта — и не явится».

В мае 1970 года, когда праздновалось 25-летие победы и все мужчины городка упились в стельку, я сказал что-то презрительное об «этих героях», на что бабушка заметила: «На Руси героев всегда уважали, но любили — праведников. Герой сегодня подвиг совершил, товарищей от смерти спас, родную землю защитил, а пришел домой — жену избил, а потом еще и украл, и обманул, и сподличал. Герои — люди разовые. Земля стоит на праведниках, не на героях».

Незадолго до смерти она сказала, отвечая на какие-то мои разглагольствования о «несвободной стране»: «Свобода — это ты. Только никогда не забывай о том, что и тюрьма — тоже ты». И еще она не любила, когда кого-нибудь называли совестью народа: «Совесть — это бог в человеке. У народа нету совести — только у человека. Тем человек от скотины и отличается — совестью. А совесть народа придумали бессовестные люди».

Она умерла в девяносто шесть лет — самой молодой из женщин в их семье: сердце не выдержало в конце концов переезда с благословенной Украины в сырую Прибалтику.

Отец дружка отдал нам одну из своих лодок — хорошо просмоленную и ладно сшитую маленькую плоскодонку, и с ранней весны мы пропадали на реке. Но с наступлением лета друзья мои разъехались кто куда, и я остался в полном одиночестве.

Тем летом я впервые по-настоящему вчитался в Достоевского и добрался до зарубежной литературы. Мне казалось, что романы Достоевского написаны плохо, небрежно, наспех, композиционно выстроены кое-как, особенно «Идиот», но при этом чувствовал: его картонные огни обжигают всерьез, до волдырей. Тогда же я прочел «Житие протопопа Аввакума» и был поражен его огненной речью, рвущейся из пут языка. Но были еще «Волшебная гора», «Фаустус», «Железный Густав» Фаллады, Вольфганг Кеппен, Алехо Карпентьер, Фолкнер, который завлек «Шумом и яростью», а потом явился во всей мощи и блеске в «Медведе», «Моби Дик», прочитанный несколько раз подряд, и «Лорд Джим», который для меня и сегодня остается величайшим британским романом. И как-то случайно пришли стихи — Павел Васильев, Заболоцкий, Боратынский, Языков, Веневитинов, даже Сумароков с «Дмитрием Самозванцем», варварский изнеженный язык которого произвел на меня очень сильное впечатление. Дошло до того, что я и сам стал писать стихи — чаще без рифмы, километрами.

Иногда я брал лодку и отправлялся на весь день куда-нибудь подальше, на какой-нибудь безлюдный песчаный пляж, где можно было загорать, читать, мечтать и дремать. Чаще всего я уплывал вниз по Преголе, к Зондиттену, как по старинке все называли поселок Лунино.

Там-то я и встретил Милу.

Подплыв к облюбованному месту, я увидел на берегу рослую девушку, которая, широко расставив ноги, вытирала полотенцем длинные и густые рыжеватые волосы. Она была полновата приятной тугой полнотой, с высокими толстыми ногами, маленькими ступнями, выпуклым детским животиком и дивными загорелыми плечами. Серые с голубизной глаза, россыпь бледных веснушек, красиво вырезанный рот и мягкая улыбка. Мотнула головой, перекинув часть волос на грудь, и стала похожа на Боттичеллиеву Венеру, стоящую в раковине.

— А я тебя знаю, — сказала она. — Мы жили в одной квартире, через дверь, которая была заколочена. Когда тебя привезли из роддома, я стала бросать сырые яйца в эту дверь, и твоя мать пригрозила надрать мне уши. Мне было пять или шесть, и рыжая я была — страсть.

Она говорила о первой нашей квартире, в которой мы прожили несколько месяцев, а потом переехали в дом у водокачки. Имени ее я, конечно, помнить не мог.

— Людмила, — сказала она. — Мила.

Она только что окончила пединститут и первого сентября должна была выйти на работу в нашу школу — учительницей русского языка и литературы в старших классах. Я смутился: похоже, ее следовало называть по имени-отчеству, но она мягко повторила: «Мила», и я стал называть ее Милой. Она была воплощением *милоты*.

С ней было приятно валяться на песке, купаться, болтать. Двигалась она неторопливо, мягко, почти величественно. Выходила из воды, откидывала волосы и с улыбкой протягивала руку, я помогал ей подняться на берег, и она ставила полную свою ножку на песок и поднималась, качнув грудями, поворачивалась ко мне спиной, я набрасывал на ее плечи полотенце, и она смеялась тихим грудным смехом, глядя на меня через плечо и показывая ослепительные зубки.

Мы заговорили о Достоевском — в тот раз у меня с собой были «Братья Карамазовы», и Мила сказала:

— Он весь — в суффиксах. Его речь скачет, шипит, скворчит, чирикает, юродствует, виляет хвостиками — маточка, поганейший, голубчик, дружочек, Грушенька... Аграфену Александровну Достоевский, конечно же, прекрасно понимал и любить не мог, а вот Грушеньку — Грушеньку за щекой носил...

Мне и в голову не приходило, что на Достоевского можно взглянуть и с этой стороны.

Мила перевернулась на спину и подняла ножку.

— А я толстая, как ты думаешь?

— Конечно, нет! — закричал я. — Какая ж ты толстая!

— Некоторые считают, что толстая, даже жирная. — Она погрустнела, легла на спину. — А ты мог бы поцеловать женскую ногу? У меня красивые колени? Мог бы?

Весь содрогаясь, я поцеловал ее колено, выше, выше — она мягко отстранила меня, с улыбкой погрозила пальчиком. У нее были маленькие пухловатые детские пальчики с крошечными ноготками. Я дрожал. Она приподнялась на локте, огляделась — вокруг никого, сказала: «У тебя медальный профиль», провела рукой по моему лицу. Я поцеловал ее руку, она прижалась ко мне, я принялся целовать ее колени, бедра, живот, грудь. Она закинула согнутую в локте руку на лицо, закрыв глаза, и раздвинула ноги.

— Ничего, — прошептала она, когда у меня ничего не получилось. — Поцелуй еще...

Потом у нас все получилось. Потом мы пошли купаться голышом. Кроме медального профиля, никаких других физических и эстетических достоинств у меня не было: узкоплечий, тощий, костлявый, с тонкими руками и прыщами во все щеки. Но Мила считала иначе: «Тебе свойственно изящество». Я таращился на ее спелую круглую попу, и голова у меня кружилась.

Я отвез ее на лодке до мыса у слияния Лавы и Преголи. Она сидела передо мной на заднем сиденье, сжав бедра, водила пальцем по своему животу и сонно улыбалась. Мы договорились встретиться на этом месте вечером.

— Во сколько? — спросил я.

— Как скажешь, — сказала она.

«Как скажешь...» У меня даже лоб онемел от счастья. Я почувствовал себя повелителем молний и назначил встречу на восемь, то есть примерно через три часа.

За эти три часа я успел сбегать в парикмахерскую, расправился с прыщами, вымылся в саду под колонкой с головы до ног, погладил брюки-клеш, надел свежую рубашку и часы — отец подарил мне свою стареньку «Победу», выгреб из тайника деньги и купил болгарских сигарет с фильтром.

Мила пришла без опоздания. Она была в синем шелковом сарафане в белый горошек, с белой широкой полосой по подолу, с глубоким вырезом и белым воротничком, в белых туфлях на высоком каблуке. На шее у нее были крупные бусы из искусственного жемчуга. Глаза у нее были подведены, губы накрашены, и от нее пахло духами и каким-то сладким кремом. Подойдя ближе, я понял, что она надела чулки — в такую-то жару, и сердце у меня чуть не разорвалось от любви.

Мы гуляли по-над рекой, подальше от чужих глаз, Мила рассказывала об учебе в Ленинграде, туманно намекала на несчастную любовь к какому-то «червонному валету», и так плавно покачивались и шуршали ее бедра, обтянутые чулками, и так приятно шелестел ее шелковый сарафан, и такой *родной* была ее потная рука...

Когда стемнело, я предложил сходить в кино.

Летом по всему городку открывались киноплощадки. Какой-нибудь пустырь обносили забором из горбыля, ставили скамейки, устраивали навес и будочку для кинопроектора, вешали старенький экран — и с июня до конца августа эти заведения, где билеты стоили всего десять копеек, были набиты битком молодежью. Сеансы начинались с темнотой, поздно. В этих импровизированных кинозалах под открытым небом можно было курить. Если фильм был скучным, публика поступала просто — все начинали целоваться-обжиматься.

Мы с Милой отправились в тюрьму.

Останки тюрьмы высились неподалеку, в самом начале Семерки: два полуразрушенных корпуса с сохранившимися дверями-решетками в полуподвальных камерах, два прогулочных двора, обнесенных высоким кирпичным забором. Один из этих дворов — что поменьше — и использовался как кинотеатр под открытым небом.

В тот вечер показывали «Влюбленных».

Фильм уже начался, и на нас никто не обратил внимания.

Мы сели с краю, Мила взяла меня за руку.

В темноте я наклонился к ней, чтобы поцеловать в плечо, и вдруг чихнул. Потом еще раз и еще. И всякий раз, когда я склонялся над ее плечом, на меня нападал чих, как будто к запахам, которые источала ее кожа, было примешано какое-то волшебное зелье.

— Это значит, — прошептала Мила, — что я тебя хочу. Меня выдает кожа.

Вышли мы за несколько минут до финала, чтобы нас не узнали.

— Атмосферное кино, — сказала Мила, беря меня под руку. — Куда теперь?

Я не знал, что фильмы можно так оценивать: «атмосферное кино».

А вопрос Милы поставил меня в тупик. Я бы отвел ее в свой садовый домик, но это была жалкая дощатая будка с кривым окошком, неровным полом и нарами с моей постелью. Нары были крепкими, но двухвостки — многих они пугали, а домик кишел ими, хотя я к ним привык и по утрам сбрасывал с себя десятки этих насекомых, которых в городке называли клещами. Вести туда Милу — в этом ее пышном шелковом сарафане, в шуршащих чулках, в белых туфлях, пахнущую духами и чем-то волшебным, что заставляло меня чихать и чихать, — ну не мог же я царицу повести в коровник.

— Проводи меня, пожалуйста, — сказала Мила.

Она жила за рекой, у Гаража, в поселке, на который было так приятно смотреть с железного моста через Преголю: красные черепичные крыши двухэтажных особняков среди зелени. В одном из таких особняков и жила Мила с матерью.

Стараясь держаться подальше от уличных фонарей, мы дошли до площади, на углу которой стояла библиотека, постояли на мосту, любуясь стеклянной гладью реки, на поверхности которой пылала полная луна, и спустились в поселок. Под ногами захрустел шлак.

Мила открыла калитку, поднялась на крыльцо, включила в прихожей свет и поманила меня пальчиком. Я набрал полную грудь воздуха и шагнул в прихожую.

— Не бойся, — шепотом сказала Мила. — Мама в Крыму. Уже второй месяц. Прислала вино.

Значит, в доме не было никого, кроме нас. Но разговаривали мы по-прежнему шепотом.

Мила включила в кухонке настольную лампу-«грибок», поставила на стол оплетенную бутылку с вином, фужеры для шампанского и вышла: «Я скоро».

Я бывал в таких домах, красивых снаружи и тесных внутри: кухня и две комнаты внизу, одна наверху, просторный чердак. Года два-три назад наша учительница математики и классная руководительница Нина Фоминична сломала ногу, и мы всем классом ходили ее навещать. Нина Фоминична была истеричной злобной тварью, а на самом деле — несчастной одинокой женщиной, которая без мужа — он утонул через год после свадьбы — пыталась воспитывать сыновей-хулиганов (оба потом попали в тюрьму). Она ненавидела мои клоунские выходки на уроках, кричала так, что в уголках рта выступала пена, и вообще была моим кошмаром.

Я панически боялся этой маленькой женщины, которая, стоя к классу спиной и стуча мелом по доске, говорила: «В классе должно быть слышно только меня и муху». Резко оборачивалась и смотрела на мои руки — она требовала, чтобы наши руки были сложены на парте «как полагается». Она всегда заставала меня врасплох: то я сидел развалясь, то не слушал, таращась на ножки соседки по парте (в городок пришли мини-юбки, и все вдруг заговорили о ножках), то читал «посторонние» книги.

«В угол! — кричала она. — Вон из класса! Завтра ко мне с родителями!»

А дома, со сломанной ногой, почти беспомощная, она оказалась суетливой стареющей женщиной с плохо прокрашенными волосами, истерзанной, одинокой и жалкой. Она угощала нас чаем с вареньем, показывала девочкам семейный фотоальбом и рассказывала о послевоенной голодной жизни в многодетной семье, которая пила чай с сушеной морковкой вместо сахара. Нина Фоминична подалась в трехгодичный учительский институт, где давали паек и отрез на платье, и получила право преподавания математики в школе — с пятого по восьмой класс.

«А из тебя что-нибудь выйдет, — сказала она мне тогда на прощание. — Не обижайся, но из тебя обязательно что-нибудь выйдет, я вижу. Ты — талант. Только не знаю — в чем твой талант».

Я был потрясен.

Мила вернулась — босиком, в белом коротком халате. Губы у нее были яркими и без помады. Мы выпили вина, потом еще, потом перешли с фужерами в гостиную, потом прошли в соседнюю комнату, которая оказалась спальней с широкой кроватью: «Мамина». Мила встала так, чтобы свет ночника освещал ее сзади и картинным движением скинула халат. Когда я приблизился к ней, груди ее непроизвольно дрогнули.

Дни мы проводили на безлюдных пляжах, вечером шли в тюрьму, а ночью занимались любовью на «маминой постели». Я твердо решил жениться на Миле — она лишь улыбалась, когда я об этом заговаривал. Меня ее улыбка злила: я жизни себе не мог представить без Милы, без ее роскошного тела, без этих ее пальчиков. Я хотел носить ее за щекой.

Ревновал ее к «червонному валету», о котором она рассказывала чуть не каждый вечер: он был первым мужчиной в ее жизни. Мила проводила душистой ладонью по моему лицу, и мое раздражение улетучивалось.

В середине августа вернулась из Крыма ее мать. Через неделю в городок приехал с родителями «червонный валет». Он оказался выпускником высшего военного училища: стройный высокий парень, настоящий красавец, китель, лейтенантские погоны, выправка. Через неделю они поженились, Мила стала женой «червонного валета», и на следующий день они уехали из городка «к месту прохождения службы».

В следующий раз я увидел Милу лет через семь-восемь. Она была все такой же прекрасной — стройной, полноватой, душистой, легкой на ногу, с мягкой улыбкой.

Несколько лет она жила в Чехословакии, где служил муж. По завершении срока его службы, накануне отъезда в СССР, Мила накупила ковров, красивой посуды и много золота — серьги, кольца, кулоны, цепочки, которые зашила под погоны мужа. Таможенники на границе обнаружили золото. Был скандал. Мужа загнали на Дальний Восток, в глухой лесной гарнизон, задержали очередное звание. Мила собиралась ехать к нему, жаловалась, что детей в школу придется возить на гусеничном вездеходе, а жить — в бараках, в тайге.

Люди на улице провожали ее насмешливыми взглядами: в городке все знали историю о «золотых погонах». Но Мила отвечала на эти взгляды снисходительной улыбкой.

— Как тебе удается сохранять спокойствие? — спросил я. — От всего этого впору чокнуться...

— Я смотрю на звезды, — ответила Мила. — Каждый вечер я смотрю на звезды хотя бы пятнадцать-двадцать минут — этого достаточно, чтобы привести в порядок свой космос. Звезд не видят только свиньи и змеи — такая у них физиология, и каждый вечер я напоминаю себе о том, что я не свинья и не змея.

Было дождливо. Ее мама отдыхала в Крыму.

Вечером она уложила детей внизу, мы поднялись в комнатку под крышей, и Мила картинно скинула халат, стоя спиной к окну, и бросилась мне на шею. Она была тяжеленькой, но по-прежнему тугой, теплой. От нее приятно пахло потом и духами. До утра мы занимались любовью, курили — она начала курить — и разговаривали о литературе. Когда речь зашла о шумевшем тогда романе А. Б., Мила сказала: «Поверь, это квазилитература. Сейчас очень много всего такого... квази и псевдо...» И закинула на меня полную душистую ножку. Она, конечно, была права насчет того романа. Такой она и осталась в памяти — нежной, жадной и умной.

Глава 5. Между

Напротив нашего дома, за железной дорогой, находился толевый завод. В кирпичном сарае со стеклянными фонарями на крыше (стекла этих фонарей были желтым, красным, бордовым, лиловым от паров, скапливавшихся в цехе) стояла двадцатипятиметровая ванна с кипящей пековой смолой, прикрытая брезентом. Рулон картона надевали на стальной штырь, раскручивали, картонное полотно пропускали через ванну со смолой и на выходе получали несколько рулонов толь-кожи. Завод называли «раковым корпусом»: у всех рабочих была желтая кожа, все выхаркивали смолу из легких, все получали молоко за вредность.

Стоки попадали в отстойник — яму, находившуюся за забором завода, а оттуда вся эта дрянь по трубе, проложенной под железнодорожной насыпью, текла в мелиоративные канавы в низине, где был устроен стадион. С низины всегда тянуло мазутом. Если в канаву попадал теленок, его тотчас резали и свежевали, пока мясо не успело пропитаться «мазутой». Хозяйки боялись вывешивать белье во дворах: высокая заводская труба то и дело плевалась липкой сажей.

На следующий день после отъезда Милы я сидел на склоне железнодорожной насыпи, поросшем донником, и таращился на яму с «мазутой». Поверхность вязкой смолы была где гладкой, где комковатой, цвета скорее темно-лилового, чем черного. Иногда из глубины лениво поднимались пузыри, которые бесшумно лопались на поверхности, иногда смоляная масса содрогалась, покрываясь рябью, словно там, в мрачной и ядовитой этой глубине, жили своей ужасной жизнью какие-то невероятные твари, полуживотные-полурастения, жуткие твари, которые спаривались, рожали детенышей, жрали друг дружку с тоскливой ненавистью и медленно подыхали, дрожа, разлагаясь и испуская мерзкие газы...

«Вот моя душа, — думал я с тоской. — Вот моя совесть».

Стендаль как-то сказал, что если однажды он подойдет к окну и воскликнет: «Какое прекрасное утро!», то сразу же возьмет пистолет и застрелится, потому что пошлость не может быть оправдана ничем. Но мне казалось, что сравнение моей души с этой мерзкой ямой свежо, оригинально и не заслуживает выстрела в висок (я уже говорил, что слыхом не слыхал о писателе Набокове, который назвал душу Гумберта Гумберта «выгребной ямой, полной гниющих чудовищ»).

Я думал о Миле, терзался видениями ее супружеского счастья, тем, что ее душистые ножки сейчас целует другой, и в то же время с нетерпением ждал завтрашнего дня, когда из деревни вернется Анечка и я наконец увижу, услышу, обниму мою милую, мою единственную и буду счастлив-счастлив-счастлив.

На следующий день мы встретились, и все так и было: я был счастлив-счастлив-счастлив, а она очень соскучилась, была нетерпелива и хотела только одного — чтобы все случилось поскорее. Потом мы лежали в садовом домике, смахивая с себя двухвосток, Анечка целовала меня за ухом, тихо рычала: «Я тебя съем, съем, съем...», смеялась и дрожала, и ее дрожь передавалась мне.

Это был тяжелый, мутный, мучительный год. Учителя и родители говорили, что нам пора бросить глупости и готовиться к поступлению в техникумы или вузы, и многие действительно по-настоящему засели за учебники, а я бродил по парку в конце Семерки, читал зачем-то Эйхенбаума, вечером вызывал на улицу Анечку, и мы гуляли под дождем или прятались в садовом домике, где было холодно, сыро и пахло дустом (отец сложил под моими нарами бумажные мешки с этим ядом, который разводили в воде, чтобы опрыскивать картошку).

Уже заполночь мы на цыпочках поднимались на наш чердак, в маленькую комнатку под крышей, где на полках были рассыпаны сушеные яблоки, и занимались любовью.

По субботам мы ходили на танцы в фабричном клубе.

Помню парня лет двадцати, который однажды вдруг вскарабкался на сетку, защищавшую окно танцзала, и с тоской завопил на весь зал: «Все пацаны как пацаны — все по тюрьмам, один я как дурак!..» Ему хотелось в тюрьму, и вскоре его посадили за зверское избиение соседской девчонки, которая *не так* на него посмотрела.

Анечка упорно занималась, готовясь к поступлению в институт, а я по-прежнему бездельничал, читал все подряд и писал стихи — километр за километром, мечтая о славе и деньгах. Мне нужна была пишущая машинка, чтобы перепечатать стихи и послать их в журналы и издательства. Но пишущие машинки стояли только в конторах, а я панически боялся открывать кому бы то ни было, что пишу стихи. Даже Анечка об этом не знала.

Помощь пришла с неожиданной стороны, как пишут даже в неплохих романах.

Секретаршей директора школы была Евдокия Ивановна, которую все звали Ногой. Она была хромой от рождения, считалась бессердечной тварью, и боялись ее пуще директора. Несколько раз меня вызывали «на ковер» к директору, и я помню атмосферу ледяного равнодушия в приемной, Евдокию Ивановну за пишущей машинкой и ее сухую реплику: «Сиди и не дергайся». Если она изредка выходила из приемной, школьники бросались врассыпную: Нога выбиралась из своей норы только в самых жутких случаях, например если речь заходила об исключении из школы. Она была невысокой, сухощавой, носила обтягивающие свитера под горло и юбки-годе. Жила рядом со школой, занимая комнатку наверху в двухэтажном домишке, а внизу, в двух комнатах, жила многодетная семья железнодорожников. О личной жизни Ноги мы ничего не знали. Однажды кто-то сказал, что у нее был сын, но он утонул на водопаде.

Меня вызвали к директору по какому-то пустячному поводу, и в ожидании приглашения я с завистью разглядывал две пишущие машинки на столе Евдокии Ивановны. Одна машинка была портативной. Нога стучала по клавишам не глядя.

— Как здорово у вас получается, — льстиво сказал я. — Хотел бы я научиться печатать на машинке. — Набрался смелости. — А можно у вас попросить вот эту, маленькую, на время? Я бы дома попробовал...

— Нет, — сказала она. — Зачем тебе машинка?

Я сказал, что надо кое-что отпечатать.

— Я могу сделать, — сказала она. — Но это стоит денег. Что у тебя?

И тут я брякнул:

— Стихи.

Нога повернулась ко мне всем телом и спросила:

— Ты пишешь стихи?

Отступать было некуда — я кивнул.

— Приноси, — сказала она. — Я сделаю.

На следующий день я принес две толстенные папки с завязками, набитые стихами.

— Машинка у меня дома, — сказала Нога. — Приходи в субботу, в семь. Знаешь, где я живу?

Я собирался в субботу на танцы с Анечкой, но делать было нечего.

Субботним вечером я постучал в дверь Ноги.

Она проводила меня в комнату, которую, казалось, приводила в порядок какая-нибудь специальная санитарная служба: ни соринки, ни пылинки, постель на железной кровати с высокими спинками заправлена идеально, всюду белоснежные салфетки и никаких запахов.

Нога была в халате, надетом на свитер, и в спортивных штанах: в доме было холодновато. Она пригласила меня за ширму, где была кухня, мы сели за стол, накрытый белой скатертью, она поставила на стол бутылку водки, две высокие рюмки, разлила, мы выпили — все молча — и только тогда заговорили о стихах. Мои стихи ее восхитили. Ты открыл мне новый мир, сказала она. Это *настоящее,* сказала она. Ты талант, сказала она. По памяти процитировала несколько моих строк. Мы выпили еще по рюмке. Оказалось, что она тоже пишет стихи. Для себя, конечно. Ну и для тех, кто смыслит в настоящей поэзии, сказала она. Прочла стихотворение о бурном сердце и отравленной любви. Сняла скатерь со стола, поставила блюдечко, разрешив курить, и снова налила в рюмки. Я быстро опьянел. Она читала свои стихи километр за километром, я кивал, стряхивал пепел в блюдечко и думал, как бы отсюда выбраться. Снизу доносились громкие звуки телевизора: шел хоккейный матч. Ну ладно, сказала Нога, иди сюда. Мы вышли на середину комнаты, она скинула халат и задрала свитер, из-под которого вывалились две огромные груди. В полутьме они показались мне лиловыми и пятнистыми. Когда мы занимались сексом, она скрипела зубами и выкрикивала: «Давай! Давай! Давай!» Я чувствовал себя хоккейным форвардом, от которого ревущий стадион хором требует гола.

— Завтра в семь, — сказала Нога на прощание и сунула мне пачку машинописных страниц.

Утром я прочел свои стихи, отпечатанные на машинке: «Золотые сенокосы к лесу тянутся шершавыми руками» — и оцепенел. Мне, конечно, нравилась красивая машинопись, четкий шрифт — почти как в книге. Но ведь это, подумал я, могут прочесть другие люди, боже мой. Я изорвал рукопись на мелкие кусочки страницу за страницей, сожалея лишь о том, что не могу все это съесть: с таким объемом бумаги мой желудок просто не справился бы.

Пришел дружок Коля, с которым когда-то ночью мы прыгали с водопада.

Я рассказал ему о Ноге.

— Ну ты нашел с кем связываться, — сказал Коля. — Она же солдатам по рублю дает, чтоб они ее трахали.

Тогда слова «трахать» в обиходе не было, Коля употребил другое.

После обеда я пришел в себя. Вечером мы с Анечкой отправились на танцы.

На следующий день Нога вызвала меня с урока. Все в классе, даже учительница, замерли от ужаса. Я вышел в коридор. Она строго спросила, почему я не явился вчера *в назначенное время*. Я молчал.

— Ага, — сказала Нога. — Значит, ты так... А стихи?

— Да пошли они на хуй, эти стихи, — сказал я. — Никакой я не поэт, и писать стихов больше не буду никогда.

Она молча ушла. Не знаю, что она сделала с моей рукописью, но больше я стихов действительно не писал. Господь в тот раз смилостивился и дал мне такого щелбана, что забыть это невозможно.

В 1967 году в Советском Союзе ввели второй выходной, и началось страшное испытание советского человечества свободным временем. Фабричные люди с маленькой зарплатой, которые содержали семьи в основном благодаря домашнему хозяйству (корова, свиньи, куры, картошка), обрадовались: появилось больше времени на хозяйство, еще и оставалось. А оставалось — чаще всего на пьянство. Мало кто знал, как распорядиться свободным временем. Да еще телевизоры теперь были почти у всех, а значит, в воскресенье не надо бриться-мыться, надевать чистую рубаху и топать с женой под руку черт знает куда, чтобы посмотреть фильм. Вот он, фильм, в комнате. И Райкин в комнате. И цирк. И футбол.

Даже балет, черт бы его взял, и тот — на расстоянии вытянутой руки. Под пиво, под водочку, под самогон, который гнали многие. Наверное, именно тогда и родилось выражение «Хорошо вчера посидели — ничего не помню».

Пили и раньше, но теперь фронтовое поколение вошло в возраст, когда болезни только множились. Пили на фабрике — спирт-сучок, пили в Красной столовой, пили в кустах на берегу реки — бормотуху, «верыванну» (вермут). Пили «мурашку» — муравьиный спирт, пили одеколон и политуру, а те, кто прошел через тюрьмы, намазывали гуталин на кусок хлеба, выставляли этот бутерброд на солнце, чтобы хлеб хорошенько пропитался спиртом, и ели. Если водки было мало, то в стакан с водкой трое-четверо мужиков терпеливо стряхивали сигаретный пепел, пока не наполнится до краев. Потом сцеживали водку, отравленную фосфором, и пили. Пили самогон с куриным пометом, богатым все тем же фосфором. Пили рабочие, инженеры, учителя, офицеры.

У молодых были свои ритуалы. Девушки перед танцами при помощи хлебного катыша снимали с верхней губы усики и закапывали в глаза атропин, чтобы зрачки превратились в бездны, а парни должны были выпить хотя бы по стакану «Солнцедара», самого популярного тогда дешевого крепленого вина.

Вдруг всем нам понравилось собираться всем классом, чтобы отметить день рождения одноклассника. Родители виновника торжества готовили еду, мы скидывались на вино. Помню, как отмечали день рождения хорошей нашей девочки Лиды, отец которой выставил на стол бутылок десять вина и с радостью сказал: «Лидочке повезло: завезли «Солнцедар». Потом родителей вытесняли, выключали свет и танцевали — под «Битлз», под Мулермана, под «Песняров», под кого угодно. Потом блевали.

Именно тогда учительница литературы Нина Михайловна Чугунникова сделала мне неожиданный подарок. Она была любимой моей учительницей. Ее муж-инженер спился и работал на фабрике грузчиком, а дочка была глуповатой красавицей. Она краснела, когда вызывала меня к доске, чтобы я прочитал стихотворение наизусть: ей было стыдно за взрослого парня, который не может запомнить даже Есенина. Но во всех других случаях я был ее любимчиком. Писал сочинения, с которыми выигрывал районные олимпиады, а в десятом классе выиграл областную. Много читал. Хамски отзывался о Чернышевском и Маяковском, чего те, конечно же, не заслуживали, но Нина Михайловна — бог ей судья — считала эти мои эскапады проявлениями свободного мышления. Она выписывала толстые журналы, о существовании которых я тогда только догадывался.

Я приходил к Нине Михайловне, мы пили чай с вареньем и разговаривали о литературе. Похоже, ей это было нужнее, чем мне. Я отмахивался от советской литературы, хотя тогда почти не знал ее, а Нина Михайловна пыталась меня убедить в том, что «Тихий Дон» — это великий роман о великом русском переломе. Она была толстой, краснощекой, одевалась бедно, но как она читала Некрасова, этого ненавистного мне поэта! Пока она его читала, я считал Некрасова равным Пушкину. Но больше всего меня тогда привлекала литература зарубежная — ее моя учительница знала плохо, особенно современную, из серии «трилистник». Примиряла нас пламенная любовь к Аввакуму и сдержанная неприязнь к Блоку.

Я тогда прочел «Макбета», «Йерму» и «Трамвай «Желание» и решил написать пьесу. Ну, например, по сюжету «Слова о полку Игореве». Мрачное Средневековье, жестокая Ярославна, которая, оставшись в отсутствие мужа хозяйкой Путивля, приказывает без жалости вешать трусов, испугавшихся нашествия половцев, князь Игорь и его родичи-ханы...

В детстве родители брали меня на торжественные собрания, посвященные государственным праздникам и проводившиеся в фабричном клубе. После собраний был концерт художественной самодеятельности, изредка — выступление какой-нибудь заезжей театральной труппы — со скетчами или отрывками из популярных комедий. Когда мы поехали на родину матери, в Саратов, я попал на спектакль театра оперетты. Мать чуть не плакала от счастья, вспоминая студенческие годы и походы в театры, а я терзался скукой. Вот и все мои театральные впечатления. Думаю, что драматургия привлекала меня вне связи со сценой, сама по себе — четкостью сюжета, глубокой вовлеченностью персонажей в действие, всей той машинерией, эффектной и эффективной, которая свойственна хорошей театральной пьесе.

В нашей городской библиотеке было много пьес, и я читал их без передышки: Расин, Корнель, Шекспир, Островский, Толстой, Чехов, Горький, который потряс меня своими «На дне» и «Вассой Железновой». Мы даже подискутировали с Ниной Михайловной о Луке (ну разумеется), которого я считал персонажем вполне положительным, а она — вполне отрицательным.

Потом она куда-то ушла и через пять минут вернулась с книгой:

— Даже не помню, откуда она у меня. Наверное, со Свалки.

На обложке тоненькой книги было написано «William Shakespeare. All's Well That Ends Well». Именно эта пьеса — «Все хорошо, что хорошо кончается» — и стала первой шекспировской, которую я прочел в оригинале, хотя, разумеется, и с величайшими мучениями. Мне не повезло: учителями английского у нас были жены офицеров, их мужей иногда переводили в середине учебного года куда-нибудь в Среднюю Азию или на Дальний Восток, и случалось, что за год у нас менялись три-четыре англичанки. Как бы то ни было, я осилил эту книгу, а одну отчаянную и недвусмысленную фразу из нее — «Simply the thing I am shall make me live» («Лишь потому, что я такой, я буду жить») — запомнил на всю жизнь.

Я часто загорался какими-нибудь идеями, например — стать богатырем-красавцем, и изо дня в день поднимал двенадцатикилограммовые гантели. Но мускулатура не прирастала, и я охладевал к гантелям и богатырям. Или учился игре на гитаре, неделями рвал струны, пытаясь разучить хотя бы три аккорда, которые назывались почему-то «блатными»: под эти три аккорда у нас в городке пели что угодно. Но долго не выдерживал, и гитара отправлялась на шкаф.

То же самое было и с учебой.

В школе я учился, в общем, неважно. Ни упорства, ни целеустремленности, ни желания. Нравились литература и история — получал пятерки, не нравилась математика, которая просто вгоняла меня в ступор, — получал в лучшем случае тройки, а домашние работы, особенно в старших классах, попросту списывал: любимая Анечка была лучшей в классе по математике и еще по дороге в школу без слов доставала из сумки тетрадь, чтобы я успел списать домашнее задание. Впрочем, предметы, которые были, так сказать, более или менее конкретными, давались мне неплохо: география, химия, физика.

Выпускные экзамены я сдал неплохо, но на вступительных в университет провалился, недобрав балла.

Был жаркий август.

Парни и девушки, которые нашли свои имена в списке зачисленных, бежали в магазины и в кафе, и вскоре на пустовавшем красном гранитном пьедестале в центре города, где до 1961 года высилась бронзовая статуя Сталина, плясала лихая компания новоиспеченных первокурсников. Они пили вино из горлышка и что-то кричали.

А я — я отправился на Южный вокзал.

Тогда на привокзальной площади стоял аккуратный деревянный павильон «Цветы», в витринах которого были выставлены одни погребальные венки. К торцу павильона была пристроена будочка холодного сапожника, единственного, наверное, во всем городе. Сидя на низкой табуретке, старый армянин починял обувь и мычал какую-то песню без слов.

За его спиной среди шнурков, набоек, подметок и каблуков к стене была прикноплена Джоконда, вырезанная из «Огонька».

Я спросил, почем Джоконда.

— Полтинник, — без запинки ответил армянин. — Пятьдесят честных копеек.

— Да весь журнал, из которого вы ее вырезали, стоит тридцать пять! Из журнала!

— Молодой человек, — сказал старик, воздев палец, — да хоть из говна. Джоконда — она и в говне Джоконда!

У меня перехватило дыхание. Я смотрел в упор на старика, он — на меня, улыбаясь. Во мне разгорался просто животный какой-то восторг, меня даже начало трясти. Старик прав. Я отдал ему пятьдесят копеек, свернул Джоконду в трубочку, купил в кассе за девяносто копеек билет, сел в поезд и через пятьдесят минут вышел на перроне родного города.

До Семерки можно было добраться коротким путем — через железнодорожный мост, с которого к тому времени уже сняли охрану, — но я выбрал длинный путь.

Был вечер, я стоял на мосту у бани, глядя на мыс, где сливались Преголя и Лава, вспоминал о Миле, но без горечи, потом вдруг вспомнил несчастную мою няньку Нилу, потом — людоедку Настю, которой милиционеры от страха надели мешок на голову, чтобы не видеть ее глаз, мертвую голую женщину в ложбине у Детдомовских озер, бедного пса Джима... бросил окурок в реку и двинулся домой...

Дома я первым делом спросил у матери:

— А старуха-немка, Веселая Гертруда, — что с ней? Умерла?

Мать пожала плечами.

— Что она пела, мам? Помнишь, она все время что-то напевала про какие-то миллионы?

— Зайд умшлюнген, миллионен...

— Ну да, Шиллер! Значит, умерла?

— Давно. Ужинать будешь?

— Неохота.

Я повесил Джоконду над своей кроватью и вышел на улицу.

В старом парке было безлюдно, тихо, терпко пахло осенним листом.

Я бродил по дорожкам, напевая под нос: «Зайд умшлюнген, миллионен, дисен кюсс дер ганцен вельт... Зайд умшлюнген, миллионен... Обнимитесь, миллионы, в поцелуе слейся, свет, братья, над шатром планет есть отец, к сынам склоненный!..» В душе то и дело поднималось какое-то светлое волнение, от которого слезы наворачивались на глаза, словно я прозрел какую-то высокую истину, хотя ничего такого и в помине не было, вспоминал о старике-армянине и Джоконде и улыбался.

Домой я вернулся в хорошем настроении.

Родителей мой провал на вступительных экзаменах расстроил не очень сильно. Или они не хотели показывать своих чувств. Отец только бровь поднял, когда через два дня я сказал, что оставаться здесь, в городке, не хочу, а попробую устроиться в Калининграде.

Через неделю я уже работал учеником фрезеровщика на вагоностроительном заводе.

...Пятый цех вагонзавода. Ночь. Протяжно скрежещут карусельные станки, вжикают строгальные, ровно ревет мой продольно-фрезерный, на котором установлены восемь вагонных букс. Мне выдали маску из оргстекла и пневматическое точило — снимать заусенцы с обработанных букс: продукция пойдет на экспорт. «Для себя» буксы не обрабатываются — и так сойдет. Что ж, экспортная букса стоит 10 копеек — на полторы копейки дороже «советской», можно заработать восемь-десять рублей за смену.

В цехе довольно холодно, и мужики греются водочкой. Я отказываюсь. Недели три назад я вот так погрелся за компанию и запорол дорогую фрезу, таких фрез всего полтора десятка в области — на Вагонке и на 820-м заводе. Тогда выпили, я заснул, очнулся от жуткого скрежета — фреза раскалилась добела (отливки букс очень неровные), зубья «поплыли». Меня «пропечатали» в заводской многотиражке (рыжий, тощий, с бородой, в очках — ну мерзавец) и лишили премии. Хватит с меня. Да и закусить нечем: ночью столовка не работает.

Устраиваюсь поближе к воротам — здесь воздушная тепловая завеса.

Станок ревет.

Подремываю, покуриваю.

Утро солнечное. За десять минут до конца смены сжатым воздухом сметаю со станка стружку, хотя это запрещено (стружка забивает все пазы, станок может сломаться), но так делают все. В раздевалке мою руки в бочке с керосином, после чего под душем обдираю пальцы куском наждака — «профсоюзным мылом», а ничем другим руки не отмыть.

Поднимаюсь к общежитию, захожу в столовку. Плотный завтрак плюс кружка пива со сметаной — по-литовски. Глаза начинают слипаться.

В большущей комнате нас трое — Витька, только что дембельнувшийся морпех, и пожилой учитель начальной школы из Молдавии, приехавший на завод зарабатывать пенсию. Он работает на погрузочно-разгрузочной площадке, сколачивает ящики для электропогрузчиков (еще одна продукция завода). Вечерами варит суп из кильки и пьет «синий платочек» — алжирское вино по 77 копеек за бутылку, которое в Калининград, говорят, доставляют танкерами. Поест, выпьет, начинает готовиться ко сну. Снимает ватник, куртку, пиджак, душегрейку, рубашку, футболку, еще одну... капуста... так и не сняв три-четыре рубашки-майки, валится боком на кровать, стонет, всхлипывает, тоненько храпит... ни жены, ни детей... на морозе, на сыром балтийском ветру восемь часов в день заколачивает гвоздями ящики с электропогрузчиками... и пердит всю ночь, пердит и пердит...

Витька каждый вечер уходит «промышлять»: танцы в зале «Космос» (в парке Калинина, разбитом на месте немецкого кладбища), выпивон, подраться, снять девчонку. Возвращается пьяный, довольный, рассказывает о былых драках, засыпает как убитый.

Сегодня Витька явился позже меня. Избит до полусмерти, весь в крови, упал на койку, завернулся простыню — на ней выступили черные пятна.

— Как ты? — спрашиваю.

— Хорошо погуляли, — хрипло отвечает Витька.

Ложусь, прижимаюсь щекой к батарее отопления — зуб ноет — засыпаю.

Просыпаюсь после обеда.

Витька сидит на кровати, пытается содрать с себя окровавленную простыню — присохла.

— Дерни, — просит меня.

Сдираем. Терпит: морпех же.

— Надо похмелиться.

— Без меня, Витек.

У меня планы: обед, библиотека, кино.

После обеда неторопливо бреду по улице Кутузова — особняки, пушкинский багрянец и пушкинское золото, солнечно — к библиотеке им. Чехова.

Библиотекарша наблюдает за мной с интересом: работяга с вагонзавода берет такие книжки, какие и вор не возьмет. Она довольно крупная, лет двадцати пяти, у нее толстые длинные ноги, она разводит красивые коленки — видны белые трусики — и улыбается, не сводя с меня насмешливого взгляда.

Книги... Что на этот раз? Станислав Дыгат — прекрасный прозаик. Тикамацу Мондзаэмон — драматург, почти современник Шекспира. Рильке — «Ворпсвед», «Роден». Хватит на три дня.

Еще не вечер. Болит зуб. Читать неохота. Иду в кино.

«Пусть говорят» — самый кассовый фильм начала семидесятых, что-то испанско-мексиканское с поющим красавчиком Рафаэлем. Ну и черт с ним. Вяло слежу за сюжетом. В зале человек 20—25. За моей спиной парень тискает подружку, она бьет коленкой в мое кресло, парень пыхтит, девчонка начинает учащенно дышать.

И вдруг — вопль. Дикий вопль. Душераздирающий вопль.

— Убили! Убили! Включите свет! Убили!

Паника. Грохот.

Кто-то бежит по проходу, его настигают, валят на пол, вспыхивает свет. Парня скручивают, он смотрит исподлобья. Знакомое лицо, общежитское.

Всех трясет, все тараторят.

Ни с того ни с сего этот парень ударил ножом в шею зрителя — пожилого мужчину. Пострадавшего увозит «Скорая», парня уводят милиционеры, бьют на всякий случай, пинают.

Вечер в общежитии, после ужина, делать нечего. Болит зуб, пытаюсь читать.

Заходит знакомый из кузнечно-прессового цеха (господи, он эпилептик, ему нельзя в кузнечном, у него то и дело приступы, но у него дома — мать-инвалидка и сестра-дурочка). Рассказывает. Оказывается, парень из инструменталки проиграл в карты место и ряд в кинотеатре «Победа». То есть он должен был убить человека, купившего билет на это место в этом ряду. Я думал, это байки: зэки любят порассказать про такие случаи. А вот нет, не байки. Играли от нечего делать, проиграл — плати. Говорят, старик, которого он ударил ножом, умер в больнице от потери крови.

Читаю Тикамацу, смотрю в окно. Ночь черная, морозная, дикая... золотая осень... начинается дождь... зуб болит...

Пьеса называется «Самоубийство влюбленных на острове Небесных сетей».

> Все верой просветленные
> и все,
> не просветленные великой верой,
> и все миры
> равно обрящут мир
> и милосердие...

Молдаванин плачет во сне, пердит и снова плачет.

Библиотекаршу с красивыми коленками звали Риммой. Однажды в начале зимы я спросил, можно ли проводить ее домой, она кивнула, мы зашли в кафе, выпили «Варны», разговорились о книгах, она сказала, что у нее есть «Август Четырнадцатого», а ее матери не будет до утра.

Римма жила в панельной пятиэтажке рядом с Домом профсоюзов, из ее окон был виден новый корпус университета и вход в блиндаж генерала Ляша, где в апреле 45-го был подписан акт о капитуляции кенигсбергского гарнизона.

Матери ее действительно дома не было, а «Август Четырнадцатого» был: пухлая пачка папиросной бумаги, слипшиеся машинописные строчки, бледный шрифт. Еще у нее была бутылка кальвадоса — любимого напитка героев Ремарка.

Комната Риммы была тесной, и чтобы не толкаться, мы раздевались по очереди.

Она не любила целоваться.

— Рот женщине дан не для поцелуев, — сказала она, опускаясь на колени, — а для дела.

Мы встречались почти каждый день. Отношения наши были ровными: заходили в кафе, иногда гуляли вдоль Преголи. Со дна реки то и дело всплывали и лопались на поверхности громадные пузыри, и по округе распространялся запах тухлых яиц: в Преголю сливали свои отходы два целлюлозно-бумажных комбината. Потом мы отправлялись к Римме.

Она не любила рассказывать о себе, хуже того: она не любила, если о себе начинал рассказывать я. Но зато о книгах, о литературе разговаривать с ней можно было сколько угодно. Когда я открыл ей, что хочу стать писателем, она сказала:

— Это ремесло вора, шпиона и убийцы. Писатель подглядывает, подслушивает, крадет чужие черты и слова, а потом переносит все это на бумагу, останавливает мгновения, как говорил Гете, то есть убивает живое ради прекрасного...

«Вор, шпион и убийца» — это было сказано, конечно, ради шутки, ради красного словца, но ведь литература и есть красное слово жизни.

— Не убивает, — вяло возразил я, — а дает новую жизнь, иную...

Но спорить она тоже не любила.

Однажды я обнаружил на ее животе шрам — узловатый, грубый.

— Кесарево, — неохотно объяснила она. — Я училась в техникуме и была дура дурой. Мой мальчик умер, а я все не соглашалась от него избавляться. Врачи рассказали мне об одной женщине, которая три года носила в утробе мертвый плод. Младенец заизвестковался, покрылся скорлупой, превратился в яйцо и чуть не убил мать. Я испугалась и согласилась на кесарево.

Голос ее звучал глухо, бесстрастно, а у меня мурашки бегали по спине.

Вскоре Римма познакомила меня со своей матерью, работавшей венерологом в больнице для моряков дальнего плавания. В благодарность за лечение пациенты дарили ей кубинский ром, французский коньяк, бразильскую кашасу. Эмма Сергеевна — «Эмма, просто Эмма» — смотрела на меня пристальным изучающим взглядом, и я прятал руки, которые никак не удавалось по-настоящему отмыть от заводской грязи. Я чувствовал, что не нравлюсь ей, да она этого и не скрывала. А вот она мне сразу понравилась. Все, что у Риммы было слишком, у Эммы было идеальным.

Однажды я не застал Римму дома. Эмма накормила меня ужином, стала расспрашивать о родителях, мы разговорились под коньяк. Она все время двигалась: доставала из настенного шкафчика салфетки, с нижней полки — пачку соли, вставала, садилась, закинув ногу на ногу, наклонялась ко мне, чтобы прикурить, и как будто не замечала, что ее маленький шелковый халатик скрывал от меня разве что ее живот и спину, да и то не всегда.

Потом она попросила помочь — надо было достать со шкафа какую-то шкатулку. Никакой шкатулки я там не обнаружил. Тогда Эмма сама влезла на стул, приподнялась на цыпочки, скользкий шелковый халатик сполз с нее, она повернулась ко мне и с улыбкой — ну что ты будешь делать — развела руками. К тому времени мы оба были пьяны. Я снял ее со стула, поцеловал — она ответила, прижалась ко мне. Потом впилась в мою спину ногтями и закричала, но когда в комнату вошла Римма, проговорила спокойным голосом:

— Я же тебе говорила, лапа моя: ему все равно — с кем.

Терять мне было нечего. Я похлопал Эмму по бедру и проговорил:

— Скажу больше: ты была лучше, чем она.

Эмма от неожиданности захохотала, но, когда Римма вышла, сказала:

— Мы оба поступили некрасиво, но ты поступил по-мужски, а я — по-божески.

В прихожей Римма проговорила, глядя в угол:

— Она переспала с моим первым парнем, чтобы доказать, что я ничего не стою... а ему было шестнадцать... потом я ей отомстила, увела у нее любовника... потом другого... а она — у меня... наверное, эта война не закончится, пока я не убью эту суку... или она меня... и кесарево — это ведь она, эта сука, заставила меня сделать кесарево...

Дверь из гостиной распахнулась, и Эмма закричала с порога:

— Ну зачем ты ему это рассказываешь? Ну зачем? Он чужой, Римма, чужой! А мы свои... я сука, да, я — твоя сука, твоя сука, девочка моя любимая, твоя сука, твоя, а ты — моя...

Римма схватила ее за руки, обняла, они разрыдались.

Я выскользнул за дверь, спустился на улицу, перевел наконец дыхание и закурил. Никогда еще я не чувствовал себя таким чужим, посторонним, лишним, как в те минуты. Эти две женщины, мать и дочь, годами терзали друг дружку, и их мучительные жизни медленно сгорали, не выделяя ни тепла, ни света, и это была любовь — любовь, черт побери, любовь без глубины и высоты, любовь на уничтожение, любовь безлюбая и бесконечная, как смерть...

В детстве каждая встреча с незнакомцем — это Страшный суд, каждая утрата — Апокалипсис, потому что ребенок не знает стыда, который объединил бы его с другими людьми, и только потом, с возрастом, он становится историческим существом, одновременно единственным и одним из многих. Я не испытывал стыда, думая о Римме и Эмме. Мне только предстояло понять, что непознанное — лишь часть непознаваемого, даже если речь о людях, а не о боге и дьяволе, — понять, а еще сделать самое трудное — смириться с этим.

А тогда — тогда, сунув руки в карманы, я неторопливо пошагал к трамвайной остановке, чувствуя себя чистым и свободным.

Я вышел в широкий створ между Домом профсоюзов и строившейся гостиницей, и сквозь снежную мглу, колыхавшуюся тяжко и торжественно, навстречу мне всплыла из поймы Преголи громада Кафедрального собора, убожество которого — руина и руина — тонуло в морозной ночи, скрадывалось, размывалось русским снегопадом. Мимо пронесся, глухо погромыхивая на стыках рельсов, узкий, ярко освещенный трамвайчик, нырнул к основанию моста и тотчас взбежал на горб эстакады.

Нет ничего тоскливее, чем слякотная, промозглая, тухлая зима в Калининграде. Но нет ничего прекраснее, светлее, головокружительнее, чем зимняя ночь в Кенигсберге, да еще безветренная, со свежим снегом, вдруг повалившим с темных небес. Дышалось легко и свободно, и только сладостный страх, не затрагивавший сердца, но лишь слегка бередивший душу, напоминал о смертности человеческой. На улицах еще не улеглась беготня, но снег и тьма, свет множества фонарей, окон и автомобильных фар сделали свое дело: привычный кошмар нового города со всеми его убогими пятиэтажками стремительно угасал, уступая место древнему, устоявшемуся, пусть иллюзорному, но оттого еще более привлекательному и неожиданному, незнакомому чувству, которое забирало душу при виде этих островерхих черепичных крыш, узких улочек, вымощенных плоским булыжником, фахверковых домов...

Я остановился под кроной тополя, почему-то не сбросившего свои жестяные листья, извлек из нагрудного кармана сигару «белинда» — любил, любил повыпендриваться — и чиркнул спичкой. Аромат кубинского табака смешался с арбузной свежестью снегопада и запахом дорогих мужских духов, накрывшими меня с головой, когда по тротуару прошла державшаяся за руки парочка красивых педерастов со счастливыми ослепительно-белыми лицами, яркими блестящими губами и черными провалами глаз...

Я любил приходить сюда вечерами. Садился на лавочку и подолгу курил, глядя на Кафедральный собор и стоявшую на другом берегу ганзейскую Биржу, которая встречала гостей дома культуры моряков широким лестничным маршем и двумя львами, державшими в лапах рыцарские щиты — с них давным-давно были аккуратно сбиты гербы Ганзы и Кенигсберга. Я не был историком и знал о семисотлетней предыстории Калининграда не больше, чем другие, да и если бы даже меня допустили в старые архивы, вряд ли я долго выдержал: меня мало интересовал реальный Кенигсберг, где не находили себе места Гофман и Клейст, а в разгар русско-японской войны некий университетский доктор Шаудинн порадовал мир открытием бледной спирохеты. Меня притягивал скорее образ утонувшего в вечности города королей, и в такие минуты жизнь моя представлялась мне путешествием в прошлое, в миф, и зыбкость существования между реальностью и этим иллюзорным прошлым вовсе не пугала, но вызывала озноб и даже что-то похожее на радость — самое безотчетное, а нередко и самое беспричинное из чувств, ощущений, состояний человеческих. Я это остро чувствовал, оказываясь вдруг в этом историческом зазоре, в этой напряженной неопределенности бытия, и воображение мое сливало образы чудес и чудовищ в некое целое, das Ganze, в мир превыше всякого ума, в котором я ощущал себя центром и средоточием необозримой и невообразимой сферы космоса.

Утонувшие во тьме, исчезнувшие панельные пятиэтажки, черепичные крыши, черные кроны деревьев, блеск булыжных мостовых, звяканье и лязг корабельных цепей, доносившиеся из порта, перезвон узких трамвайчиков, словно переламывающихся на горбатых мостах за Кафедральным собором, по ту сторону острова, где когда-то и зачинался город королей...

Я сидел на лавочке, курил и бормотал:

> На дальнем горизонте,
> Как сумеречный обман,
> Закатный город и башни
> Плывут в вечерний туман...[1]

Жить этим, конечно, нельзя, но забыть это — невозможно.

К следующим вступительным экзаменам я подготовился по-настоящему, без дураков, сдал на одни пятерки и был зачислен на историко-филологиче-

---

[1] Am fernen Horizonte
Erscheint, wie ein Nebelbild,
Die Stadt mit ihren Thürmen, In Abenddämmrung gehüllt.
Heinrich Heine (перевод А. Блока).

ский факультет. Родители были довольны. А через десять дней я въехал в старое университетское общежитие на улице Чернышевского, в комнату номер 88, такую маленькую и узкую, что в ней с трудом помещались три солдатские койки с панцирными сетками, платяной шкаф, тумбочка и стол.

Самым трудным предметом для студентов-филологов оказалась история КПСС. Вел ее Иван Андреевич Парутин, профессор и проректор, человек маленького роста, с жидкими рыжеватыми волосами, в больших очках, которые вечно съезжали с его маленького точеного носика, и в пиджаке с белыми от мела карманами: в карманах он хранил карточки с цитатами и цифрами и то и дело доставал их рукой, из которой не выпускал кусочек мела. Он был суховат, тверд и требователен. Студенты — в большинстве своем вчерашние школьники — его боялись. Ведь вся наша школа, в том числе и высшая, была построена по-военному: учитель задает вопрос — ученик отвечает выученное. А Иван Андреевич требовал от студентов если не свободы мышления, то хотя бы самостоятельной умственной работы.

— Вот посмотрите... — Он доставал из кармана карточку. — Кулаки в конце двадцатых годов, накануне коллективизации, составляли примерно двенадцать-пятнадцать процентов населения, а давали они более шестидесяти процентов товарного хлеба. — Пауза. — Почему же тогда партия поставила задачу уничтожить кулака как класс? Ведь именно кулак и был основным производителем хлеба. Зачем же его уничтожать?

Аудитория молчала. Действительно, зачем уничтожать тех, кто выращивал более половины или даже две трети всего товарного хлеба в России? Это ж самоубийство.

— А все дело в том, — продолжал Иван Андреевич, так и не дождавшись ответа, — что кулак — это мелкая буржуазия, а мелкая буржуазия постоянно воспроизводит себя *как класс,* что нетерпимо в стране, приступившей к построению социализма. Вот потому-то и надо было кулака уничтожить *как класс.*

Все с облегчением вздыхали: как все просто, оказывается.

В общежитие после занятий мы возвращались небольшой компанией. Зашли в небольшое кафе, где можно было взять стакан чаю за три копейки и несколько пончиков в пудре по четыре копейки за штуку. Отогрелись. Один из моих друзей, мой тезка — он был старше нас, — вдруг сказал, вспомнив лекцию профессора Парутина:

— Уничтожить как класс... миллионы людей загнали на севера́, сколько народу поубивали... баб, детей... бабушка моя до сих пор вспоминает, как голодали эти производители хлеба в шалашах на северном Урале... и что — социализм этого стоит? Этих миллионов живых людей?

— Это мне напоминает рассуждения Ивана Карамазова о слезинке невинного ребенка, — сказал я. — По логике Карамазова, если в фундаменте всемирного счастья есть слезинка ребенка, то счастье это — не счастье, а черт знает что. Но ведь тогда никакое дело невозможно, ни доброе, ни злое, тогда — только бунт и топор...

— Я говорю не о слезинке, а о реках крови, — сказал тезка. — О миллионах невинных людей.

— Слово «невинность» вряд ли уместно, когда речь заходит о миллионах. О миллионах, которые, невзирая на всю эту кровь, поддержали большевиков. Равнодушие и глупость масс — назови это невинностью — великое историческое преимущество любой власти...

Друзьям наскучил этот разговор, и вскоре мы с тезкой остались одни.

Он заговорил о социализме и коммунизме, о том, что большевики пришли к власти по законам истории, которые не нуждаются в оправдании, а потом установили законы, которые не могут быть оправданы никакими законами истории. Я пытался возражать, напоминая о том, что всякая революция — это неизбежность, а не необходимость, и никогда еще победители не отказывались от власти, чтобы подчиниться законам истории, которую они оседлали. «История — это люди, — с пафосом воскликнул я, — а не бесплотный дух!» Он спросил, читал ли я Гегеля? А Макиавелли? А Монтескье? А Мальбранша? А Гиббона? А Моммзена? А Ключевского? А Соловьева? А Бердяева?

— О некоторых династиях египетских фараонов нам почти ничего не известно, а они правили сотни лет, — сказал он. — Когда-нибудь и о советском периоде русской истории учебники расскажут одним абзацем. Что такое для истории пятьдесят лет? Кто сегодня помнит о том, что было при царе Василии Третьем? А ведь это при нем возникла идея о Москве — третьем Риме, и это его называли Храбрым: вояка был отчаянный... Никто ничего не помнит, затерялся наш Василий между великим отцом и великим сыном...

Я стал горячо возражать, хотя не читал ни Гиббона, ни Ключевского, ни Бердяева: сравнение с фараонами и Василием Третьим показалось мне возмутительным, а уж «один абзац» и вовсе не устраивал — ведь этот абзац и был моей жизнью.

Мой новый друг был студентом-филологом, а потом ему удалось перевестись на юридический. Сокурсники не любили его за едкий ум, и однажды кто-то из них в отчаянии воскликнул: «Остановите его, не то он станет Генеральным прокурором Союза!» Генеральным прокурором он не стал. После университета попал в военную прокуратуру, потом несколько лет служил в Афганистане, был ранен, контужен. По возвращении рассказывал об уголовных делах, которые ему приходилось вести, о двадцатилетнем сержанте, который расстрелял афганскую семью, занял ее дом и превратил пятерых несовершеннолетних девочек-сирот в своих наложниц, о матери этого сержанта — докторе биологических наук, милейшей женщине, коренной москвичке, которая никак не могла поверить в то, что ее сын способен на такое зверство. Таких дел было немало, но следователям приходилось нелегко: Москва считала, что советские воины-интернационалисты *не могут* совершать уголовных преступлений против афганского народа. При Ельцине мой тезка подался в политику, был депутатом, но вскоре вернулся в профессию, защитил диссертацию, стал преподавателем университета.

Университету я благодарен не за лекции об «Илиаде» и «Энеиде», которые за неимением специалиста по античной литературе читал пушкинист по ветхому учебнику Радцига, и не за семинары, на которых замечательная наша преподавательница, свободно владевшая немецким, французским и английским, учила нас ценить звукопись поэзии Гейне *по переводам* Тынянова, — благодарен за такие вот разговоры, которые способствовали моему развитию, *расширению* моего ума, думаю, в гораздо большей степени, чем даже чтение Платона или Шекспира.

В нашей восемьдесят восьмой комнате каждый вечер собиралась тесная компания. Иногда пили вино — тогда как раз в магазинах появился дешевый «оболтус» («оболю винс», литовское яблочное вино). Но — не напивались: нам было интереснее разговаривать, чем пить. Почти все писали стихи и читали стихи (Пастернак — Мандельштам — Цветаева), все любили фильмы Тарковского и все постоянно цитировали «Мастера и Маргариту», хотя от этой любви уже начинало подташнивать, многие «пробовали себя в прозе», участвовали в постановках студенческого театра миниатюр, которым руководила преподавательница зарубежной литературы Вульфовна, Тамара Львовна Вульфович. Она цитировала Роже Гароди, оговариваясь при этом: «Если по каким-то причинам экзамен буду принимать не я, имя этого Роже Гароди лучше не упоминать». Все говорили «такие дела» и называли нашу компанию «карасом», потому что все упивались Куртом Воннегутом. Все говорили об искусстве. Все мечтали.

После посиделок провожали городских девочек до дома, а общежитских — после вина-то — разбирали по постелям. Мы были молоды, глуповаты и, разумеется, красивы и бессмертны. А какая ж девушка откажет бессмертному красавцу?

Помню один такой разговор об искусстве, под вино. Кто-то вдруг задал вопрос: а чем, черт возьми, объясняется такое высокое качество поэзии, например, Данте и прозы, например, Флобера? Ну без дураков. Без ямбов-синекдох, а, так сказать, метафизически или даже — не побоимся этого слова — онтологически. Ну чем? Что заставляло этих людей до самой старости вкалывать, переписывать, зачеркивать, снова писать, комкать и даже сжигать, чтобы потом начинать все сначала? Что? Не талант же, в самом деле. Потому что если талант, то надо тогда разбираться с талантом, а на это наших куцых мозгов точно не хватило бы. Мы искали ответов попроще. И вдруг не самый пьяный из компании сказал: «Да они ж трусы! Боялись, что их не так поймут. Боялись, что бог литературы даст им по жопе за дрянную работу. Они не были уверены в себе. В этом смысле они были слабаками и трусами».

Мне это простое объяснение понравилось. На экзамен по литературе с ним не пойдешь, но для жизни вполне годилось. Ведь верно же: трусили все эти данте и флоберы. Гениальность — это трусость. Страх. Ну или там страх божий. То есть — стыд. Вот с тех пор и засело у меня в голове: история искусства — это история стыда. История преодоления стыда на пути к еще большему стыду. И так до смерти.

К тому времени я уже твердо знал, что стану писателем. Прозаиком, поэтом или драматургом, на худой конец — критиком. Великим, разумеется: если соглашаться на меньшее, ничего не добьешься. Я писал в толстых тетрадях — стихи, наброски прозы, диалоги, соображения о прочитанных книгах и виденных фильмах, но это не складывалось в целое. Уже тогда я начал смутно понимать, что можно написать сто блестящих фраз, но не выстроить из них даже посредственного рассказа.

Я наотрез отказывался обсуждать написанное с друзьями, а пуще того — на заседаниях нашего литобъединения. Все эти посиделки с вином, с пьяненькими признаниями: «Старик, ты гений!», с коллективной любовью к одним и тем же персонажам вроде Вознесенского или Воннегута, это стадное стремление быть «как все не как все» — все это вызывало раздражение. Как-то я не выдержал и заявил, что «Бойня номер пять» Воннегута — пример безмозглого анархизма, безответственного и антиисторического.

— Человек становится взрослым только после того, как преодолеет первую любовь, — проговорила Вульфовна, глядя на меня с веселым удивлением. — Потому что настоящая любовь не может быть ни первой, ни последней — она просто настоящая.

Кто-то заметил, что преодоление сродни предательству, метя, разумеется, в меня.

Вульфовна кивнула и, подняв стакан с «агдамом», вольно процитировала Гегеля:

— Движение есть ряд последовательных падений.

Больше я на эти посиделки не ходил.

Однажды дождливой осенью мы с другом Женькой шли через площадь Победы, чтобы поскорее добраться до сухого места и выпить чего-нибудь горячего. Вдруг Женька притормозил и толкнул меня в бок. У витрины Центрального гастронома стоял старик в длинном буром пальто, в меховой шапке и ботинках с галошами. Он тупо смотрел на витрину. С его шапки, с носа и, кажется, изо рта — текло. С небритого подбородка — желтая щетина — капало. В руках у него была авоська с какими-то мелкими сверточками. На плече — подтекшее белое пятно птичьего помета. Воплощение немилой старости.

— Это Пьер, — сказал Женька. — Писатель. Вообще-то он — Петр, кажется, Николаевич, но все зовут его Пьером. Писатель.

До того вживую я видел только одного писателя — Женькиного отца, обаятельного жовиального еврея. Он со вкусом одевался, был человеком веселым, талантливым, остроумным и очень неглупым. В 30-х он попал в Норильлаг, а по возвращении из лагеря стал довольно успешным литератором, чуть ли не единственным калининградским писателем, которого охотно издавали в Москве.

— И что он пишет? — спросил я. — Пьер — что пишет?

— Про революцию что-то там, — ответил Женька. — А еще про колхозную деревню... в общем, всякое нечитайло...

Пьер посылал рукописи в московские и питерские издательства, а к рукописям пришпиливал репродукцию картины, на которой был изображен Ленин с детьми в Горках. Обводил красным карандашом голову одного из мальчиков, от нее тянул стрелку к пояснительной надписи: «Это П». То есть — это был он, Пьер. В Союз писателей он вступил, когда этот Союз создали, — в 1934-м. Об этом он тоже, конечно, сообщал всем этим сукам в московских и питерских издательствах. Но эти суки Пьера не жалели и не печатали. В местном издательстве — иногда публиковали, а в столичных — нет. Впрочем, с точки зрения материальной — Пьер был хоть и не богатым, но более или менее обеспеченным человеком. Он жил «на путевочки». Ему регулярно выписывали путевки по линии «пропаганды советской литературы», и он встречался с читателями — в школах, библиотеках, а еще лучше — в воинских частях, которых тогда в Калининградской области было очень много. Если обычный лектор (из общества «Знание», например) получал по путевочке рубля полтора-три, то член Союза писателей — десять или даже больше. Испитые майоры-пропагандисты, служившие в гарнизонных домах офицеров, за бутылку водки подписывали сразу две, а то и три путевки. Жить было можно: в те годы десять рублей были серьезными деньгами.

Я смотрел тупо на Пьера, который все еще стоял у витрины, и вдруг мне стало страшно.

— Видишь ли, — сказал Женька, заметив, как изменилось мое лицо, — есть разница между писателем и членом Союза писателей...

Когда сегодня меня называют писателем, я смущаюсь, вспоминая Пьера.

Благодаря Женьке я прочел Кафку. Это был знаменитый черный том, выпущенный в 1965 году без указания тиража и включавший роман «Процесс» и несколько рассказов, в том числе «Превращение». Достать эту книгу было почти невозможно. На черном рынке она стоила сумасшедших денег — чуть ли не 200 рублей (столько моя мать получала за два месяца). Я видел рассказы Кафки, переписанные от руки и перепечатанные на пишущей машинке. В университетской и областной научной библиотеках этот черный однотомник выдавали только в читальный зал. Женькин отец купил Кафку в книжной лавке писателей на Кузнецком по членскому билету Союза писателей. Книгу держали в обложке с цветочками, без надписей, чтобы не вводить в искушение даже друзей дома.

В моей жизни было немного книг, которые произвели на меня такое сильное впечатление, как этот том Кафки. Он был не просто одним из великих писателей, он был каким-то особенным. Я долго не мог сообразить, что же не позволяет мне ставить его в ряд, например, с Достоевским или Джойсом, Беккетом или Фолкнером. Прочитанный, погрузившийся в мое сознание и больше невостребованный, он продолжал жить своей непонятной жизнью где-то в глубине, ворочался, стонал, корчился, иной раз даже вызывая у меня приступы удушья. Он был не таким, как все, похожим на всех, но совсем не таким. Каким-то даже не бесчеловечным, но внечеловеческим, внеземным. Как и при первом знакомстве с Гоголем, я чувствовал, что Кафка — не литература, во всяком случае — не то, что мы привыкли считать литературой. Но что это было? Мне казалось, что сам факт существования Кафки ставит под угрозу мое писательское будущее — ни много ни мало. Он был каким-то опасным существом, которое без спросу поселилось в моем доме, отравляя жизнь, отравляя все то, что я считал литературой. Его нельзя было игнорировать — не получалось. О нем можно было не думать годами, но я чувствовал, что он вошел в мою жизнь, растворился в ней, как сахар в горячей воде.

Эта загадка мучила меня много лет, пока я не прочел дневники Кафки, открывшие человека, которого мне так не хватало в его романах и рассказах, и тогда все мои страхи и догадки обрели форму.

Кафка стал тем писателем, который завершил историю психологизма в литературе, в культуре вообще. Начало этой грандиозной эпохи положил Августин, который первым в европейской культуре ввел «я» в литературное произведение. Потом был Петрарка с его знаменательным восхождением на Мон-Ванту и апологией человеческой души как единственного настоящего сокровища, потом был Пико делла Мирандола, провозгласивший человеческую личность copula mundi — связующим мир звеном, потом был долгий период, когда психологизм вообще считался чуть ли не важнейшим мерилом мастерства художника. Этот период достиг пика в творчестве Достоевского, Толстого, Флобера и завершился Прустом, Джойсом, Беккетом и, может быть, Фолкнером.

Кафка не лучше и не хуже их — он стоит особняком. Он заглянул в эпоху *«после психологизма»*. Его романы — это произведения без автора, они написали себя сами, написались сами собой, без участия автора, личности с ее религиозными, эстетическими, сексуальными или гастрономическими предпочтениями, которые в этих книгах и для понимания этих книг совершенно не важны. Автор умирал не в прозе — в дневниках, потому-то мы и читаем их «с пониманием», то есть читаем, следуя культурным традициям предыдущей эпохи: Кафка дневников и писем — живой человек, он доступен нашему состраданию, презрению или хотя бы пониманию. Но Кафка-прозаик в этом нисколько не нуждается.

«Превращение» можно поставить в ряд с «Шинелью» и «Человеком в футляре», и это не будет большой ошибкой. Поведение и гибель Йозефа К. можно объяснить его абсолютным доверием к богуне-человека, и это тоже не будет большой ошибкой. Его можно считать сатириком, наследником Свифта, мастером «черного юмора», как назвал его Томас Манн. Его можно считать даже богословом (в том ограниченном смысле, который мы вкладываем в это определение, когда говорим, например, о Достоевском или Кьеркегоре), наследником Фомы Аквинского или иудейских мистиков и эзотериков. Невелика, однако, заслуга в том, чтобы быть писателем, «договорившим» Свифта, или иллюстратором каббалистических трактатов. Однако это не о нем, Кафка — другой. От его юмора — а он настоящий юморист — мурашки по спине даже у дьявола. Проза его — это проза сама по себе, это мир сам по себе, жизнь сама по себе со всей ее глубинной абсурдностью, фатальной непоправимостью и завораживающей правдивостью, не имеющей ничего общего с правдоподобием. Это в чистом виде Ding an sich, это безымянное хтоническое чудовище во тьме, вне истории и вне морали, не нуждающееся в нашем сострадании или понимании. Он тот «Освенцим» в литературе, после которого можно делать что угодно, даже писать стихи, но нельзя делать вид, будто ад — это другие.

Рильке однажды сказал, что «прекрасное — то начало ужасного, которое мы еще способны вынести» (das Schöne ist nichts als des Schrecklichen Anfang, den wir noch grade ertragen). Кажется, Кафка заглянул дальше этого Anfang и погиб, остальное — домыслы слабаков, которые боятся признать очевидное: мы живем в эпоху перехода от психологической литературы к какой-то другой литературе, и вполне возможно, что имена писателей нашей эпохи скажут будущему читателю не больше, чем имя какого-нибудь Авсония из Бурдигалы, в IV веке н. э. составлявшего центоны — стихи из полустиший Вергилия, в которых не допускалась никакая отсебятина. Никто не вспомнит нас, мы никому не нужны, наши имена ничего не стоят. Мы в тупике, мы прижаты к стене, мы — никто и ничто, nihil. И лишь после того, как эта кафкианская мысль станет такой же органической частью нашей души, каковой в нашей крови являются альбумины, глобулины и фибриногены, только тогда, может быть, мы скажем свое слово в литературе «после Кафки».

Сейчас, задним числом, я понимаю, что именно эта кафкианская мысль, часто неосознанная, оказывалась спасительной, когда жизнь загоняла меня в тупик, в угол.

Осенью на втором курсе у нас появился новый декан: на смену легкому, артистичному и саркастическому поэту, который на факультетских вечерах выбегал на сцену и под аплодисменты вдохновенно читал: «Чуть свет уж на ногах», пришел маленький серый человечек, у которого было нездоровое серое лицо с краснотцой, репутация посредственного литературоведа и страсть к расовой чистоте. При первой же нашей встрече он удивился моей фамилии и долго изучал мое лицо — в фас и в профиль, но никаких семитских признаков у меня, увы, не обнаружил. Жизнь студентов с фамилиями вроде Зарахович и Габер осложнилась, некоторым пришлось уйти — профессор Гминский расставался с ними без колебаний и сожалений.

Но зато после второго курса он помог мне и еще нескольким студентам пройти практику в районных газетах, пообещав, что в случае удачи нам не грозит распределение в сельские школы.

Мне не хотелось становиться школьным учителем. Да и университет поднадоел: читать книги было интереснее, чем рассуждать о них.

Чтение принимало часто своеобразный характер: например, я пытался из фрагментов — цитат, обмолвок, намеков — сложить портрет Альбера Камю, читая книгу Великовского «Грани несчастного сознания», или извлечь из книги Быховского, посвященной критике неотомизма, подлинный образ святого Фомы Аквинского. Тогда этот метод получил довольно широкое распространение: книги о современной буржуазной философии, психологии, социологии привлекали читателей вовсе не критикой, а возможностью реконструкции запретных учений.

Если это и было фрондой, то — самой невинной. В конце концов, самыми антисоветскими писателями, по моему глубокому убеждению, были вовсе не Солженицын или Шаламов, а Шекспир и Достоевский.

Когда на семинаре, посвященном «Путешествию из Петербурга в Москву», я сказал, что Радищев никакой не революционер, даже не бунтарь, а охранитель, призывавший власти к реформам, чтобы избежать народного недовольства и бунта, преподавательница вывела меня из аудитории и шепотом попросила «больше никогда такого не говорить». Я был удивлен: мне казалось, что я истолковал книгу Радищева единственно возможным образом. Друзья хвалили меня за смелость, а мне, человеку, вообще говоря, самовлюбленному и жадному до похвал, было не по себе: все это отдавало каким-то непроходимым провинциализмом, пошлым и тоскливым.

Некоторые студенты гордились тем, что за ними «топает КГБ», хотя все их вольнодумство исчерпывалось мечтами о выгодной женитьбе на дочке начальника милиции Центрального района Калининграда и стихами без рифмы. Ну еще они мечтали за стаканом вина о тех временах, когда народ понесет с базара не Маркова и Ленина, а Кафку с Солженицыным, и об аспирантуре, хотя их, ценителей Пастернака — Мандельштама — Цветаевой, мучила мысль о том, что в аспирантуре им придется заниматься Некрасовым, поскольку аспирантов набирал только профессор Гаркави, известный некрасовед. То и дело они принимались с азартом вычислять «стукачей» среди друзей. От этих разговоров попросту тошнило. Я чувствовал, что живу не своей, какой-то межеумочной жизнью, и эта жизнь *между* становилась все невыносимее.

Весной на третьем курсе мы в общежитии праздновали день рождения Коня и Свиньи: они родились в один день. Двухслишнимметровый Геша Конь, мастер спорта по волейболу, деревенский парень из Белоруссии, и полутораметровый Мишка Свинья, москвич в фирменных джинсах, куривший «Мальборо», были друзьями не разлей вода и ютились в одной комнате. Прокутив деньги, они жили посылками, которые присылала деревенская родня Коня. В посылках было сало, чеснок и лук. С утра до вечера в их комнате стоял смрад, а под ногами шуршала луковая шелуха. Если у них появлялись деньги, они первым делом устраивали постирушки. Брали в прокате стиральную машину и баян, устанавливали машину в общей кухне, набивали доверху рубашками, брюками, простынями, бельем и запускали. Конь садился на табуретку у окна и начинал под баян орать белорусские народные и партизанские песни, пока вода из дрянной стиральной машины, хлеставшая на пол, не доходила до его лодыжек. Развешивать белье и убирать воду Коню помогала Цыца — при маленьком росте и вопиющей худобе у нее были огромные груди. Когда они занимались любовью, Цыца орала на все общежитие и каждый час, завернувшись в простыню, выбегала в коридор, чтоб отдышаться и покурить. А потом возвращалась к Коню — «доорать свое».

Двойной день рождения отмечали с размахом, было много гостей, много кориандровой водки и всяких дешевых закусок вроде шпротного паштета, который мы называли «рвотным». Мой однокурсник Сакс импровизировал на своем серебряном саксофоне, и все млели от Сачмо. Сакс был бисексуалом. Как-то он рассказал мне о своем первом гомосексуальном опыте: «А после этого он дал мне тридцать рублей. Тридцатник, старик!» После занятий, однако, у университета его ждали сногсшибательные молодые женщины, одетые так, как не одевалась даже наша Оленька Овчинникова, отец которой был начальником гарнизонного военторга. Вечерами Сакс играл в ресторанах и в деньгах никогда не нуждался.

А дружок Сакса — Гонька, крупный парень с волнистыми волосами до плеч, в тот вечер рвал гитарные струны, колотил по деке и вопил своим божественным голосом: «Boy! You gonna carry that weight! Carry that weight!», и ему аплодировали прохожие с тротуара.

Геша Конь вскоре ушел из университета и устроился в милицию. Через три месяца его наградили медалью: он в одиночку обезвредил опасного преступника. Цыца — она стала учительницей немецкого в школе рабочей молодежи — родила ему троих детей. Свинья вернулся в Москву, к родителям. Сакс впутался в какую-то темную историю с наркотиками, но избежал тюрьмы. Он по-прежнему играл в ресторанах и пользовался большой популярностью. Гонька стал солистом ансамбля песни и пляски Балтийского флота, и когда он выходил на авансцену, раскидывал руки и запевал своим божественным голосом: «Прощайте, скалистые горы», суровые адмиралы в зале смахивали слезы с ресниц. Вольнодумцы — кто женился на дочке начальника милиции Центрального района, кто устроился в комсомольскую газету, кто в горком и обком комсомола, кто в аспирантуру, где приходилось заниматься ненавистным Некрасовым, а один из них — советскую власть он называл «режимом», хотя тогда так было принято называть только правительство Пиночета — после университета и вовсе пошел служить в КГБ. Стихи писать они все перестали. Общежитие, где мы праздновали тот день рождения, вскоре превратили в один из учебных корпусов университета.

На праздновании двойного дня рождения я чем-то отравился и попал в инфекционную больницу. Через два дня гомерический понос прекратился, но выпускать меня не стали: инкубационный период — двадцать один день. Друзья принесли мне сигарет и учебники, чтобы я мог подготовиться к летней сессии.

Накатила Пасха, в воскресенье к моим соседям по палате приехали друзья, подруги и жены, которые привезли много вкусной еды и выпивки. Мужчины, питавшиеся паровыми котлетами без соли, набросились на копченую рыбу. За стол позвали медсестер, и вскоре все были пьяны. Самая молодая из медсестер — ей было девятнадцать, и она уже дважды лечилась в психушке от алкоголизма — устроила стриптиз в смотровом кабинете, куда выстроилась очередь: эту Юлю трахали по очереди человек пятнадцать-двадцать. А потом она кое-как выбралась во двор, закурила, упала лицом на скамейку, залилась кровью и потеряла сознание. В полуразрушенном здании, стоявшем на огороженной территории больницы, тоже кого-то трахали: видны были женские задницы, голые ноги, нижнее белье. Мужчины в больничных пижамах бегали через дырку в заборе в соседний магазин за добавкой, пытались передать вино несчастным, которые томились в забранных стальной сеткой боксах с табличками «Чума», «Холера». В туалет было невозможно зайти: огромный бак для мочи был перевернут, номерные горшки с дерьмом валялись где попало.

Я боялся копченой рыбы и вина, а потому читал учебник на своей койке, только изредка выходил на лестницу покурить. При мысли о том, что вскоре я вернусь в общежитие, в университет, займусь тем, что мне было неинтересно, не нужно, меня аж мутило.

А весь этот разгул... особенно сильного впечатления на меня он не произвел: в родном городке навидался всякого...

Утром я сказал врачу, который пришел меня осматривать:

— Я здоров. Понимаю: у вас правила, инструкции, но — выпустите меня отсюда. — Набрал воздуха и договорил: — Иначе я напишу жалобу вашему начальству и расскажу, что здесь происходило вчера.

Врач посмотрел на меня печально — и выписал.

В тот же день я отнес в деканат заявление с просьбой об отчислении, забрал из общежития Джоконду, висевшую над моей солдатской койкой, и уехал домой.

Через несколько дней я стал корреспондентом районной газеты «Знамя Ильича».

Глава 6. Mal'aria

Первое, что выяснилось, когда я пришел в районную газету: я не умею писать.

Проходя практику в этой же газете, я был предоставлен себе, а потому больше месяца с энтузиазмом занимался сбором сведений о семье одного юнца, которого должны были посадить за убийство: встречался с его дружками, родными, соседями, однокашниками, учителями, а потом сочинил текст на тридцать машинописных страниц в духе тогдашней «Литературной газеты». Тогда официально считалось, что преступность у нас не растет, потому что в социализме нет почвы для нее, но всю вину возлагать на преступника тоже было нельзя, потому что человек — продукт общества, в котором нет почвы для преступности. Кое-как справившись с финалом (виновата среда, как говаривали в XIX веке, но и сам — сам тоже хорош), я отдал свой опус машинистке. Макарычу, главному редактору, очерк мой понравился, но печатать его он не стал: слишком велик объем, «это не для нас, а для какой-нибудь центральной газеты», да и не до того было — в районе разворачивалась уборка урожая.

Теперь же я был не вольным стрелком, а штатным сотрудником. Меня послали в автоколонну — написать зарисовку о хорошем водителе, который был выдвинут кандидатом в депутаты районного совета. Я отправился в автоколонну, встретился с этим парнем и растерялся. Я не знал, о чем его спрашивать и как его работу связать с предстоящим депутатством. Вернувшись в редакцию, я долго мучился, пока не родил текст строк на сто, из которых Верочка, ответственный секретарь, милосердно оставила двадцать пять.

— Почитай нашу подшивку, — сказала она. — Осваивай язык.

И я стал осваивать штампы.

Весь штат районной газеты — пятнадцать человек, включая бухгалтера, водителя, уборщицу, машинистку и кочегара. Значит, десять человек должны были трижды в неделю выпускать четырехполосную газету (а они еще болели и уходили в отпуска), по 625 петитных строк на каждой полосе. Ну — минус фотографии, заголовки, объявления. Каждый сотрудник должен был сдать в секретариат три тысячи строк текста в месяц, все, что сверх этого, оплачивалось гонораром (0,2 копейки за строчку). При этом более половины плановых текстов обязательно должны быть «авторскими», то есть написанными нештатными корреспондентами — рабочими, колхозниками, служащими. Это называлось письмами трудящихся. Письма трудящихся, конечно, в редакцию приходили, но это были жалобы: крыша течет, начальство обманывает, соседка — сволочь. А нужны были рапорты о победах. Поэтому все «авторские» писали мы, штатные сотрудники, а потом звонили по телефону агроному, инженеру или секретарю парткома и просили согласия на то, чтобы поставить под текстом их подпись.

Наивысшей активности сочинение таких писем достигло, когда развернулось обсуждение проекта брежневской конституции. Сколько ж предложений сочинили тогда журналисты от имени народа... На собраниях, посвященных обсуждению проекта, почти все выступающие чаще всего говорили о том, что в конституции слишком много прав, а вот обязанностей маловато, и требовали ужесточить, ужесточить, ужесточить ответственность граждан за то и это, а мы потом излагали эти их требования в газете, чертыхаясь и язвя по поводу неиссякающей любви русского народа к палке...

Впрочем, находились люди, которые писали сами и присылали свои писания в редакцию, и среди них выделялся Андрей Алексеевич Мальгин. Он был кляузником с тонкими маслеными губами и подлейшим голосом. Во время войны он попал в Уральский добровольческий танковый корпус. Рассказывал о танках, выкрашенных черной краской, о черной форме и кинжалах в черных ножнах — все фирменное, уральское. Перед первым боем Андрей Мальгин вышел оправиться в кукурузу, а там какой-то немец пристроился справить нужду. Схватились они, и огромный немец выдавил у нашего героя прямую кишку. Старик рассказывал мне об этом, заливаясь блеющим смешком. Он стал инвалидом войны. Получил высшее образование, служил экономистом в совхозе, вышел на пенсию. Жалобы писал почти каждую неделю — прекрасным почерком, четко, разборчиво, роспись с тремя завитушками. Как-то я не выдержал и спросил его: «Андрей Алексеевич, и охота ж вам?» И он мне ответил: «Так ведь нас такими воспитали! Критикуй — выживешь. Я и критиковал. Критиковал больше всех, потому что грамотный был. Однажды настучал на колхозное начальство в стихах, которые были напечатаны в московском журнале. Гордился! Меня ж боялись — понимаете? Боялись — что может быть слаще в жизни? Жена председателя колхоза однажды привела ко мне свою четырнадцатилетнюю дочь, говорит: «Полакомись, Андрюшенька, только нас не трогай...» А девочка была кругленькая, мяконькая, мятная, ах, какая была девочка... обоссалась, когда я ее за руку взял... самую чуточку обоссалась — капельку выпустила... сладенькую капельку... — Захихикал, поперхнулся, всхлипнул, поник. — А сейчас ненавидят... жена — и та ненавидит, дура... совсем народ страх и стыд потерял...»

Ну и, конечно, было много поэтов: в редакцию слали стихи старшеклассницы, пожилые одинокие училки или заключенные местной тюрьмы, которые писали про любовь к родине, березкам и терпеливым девушкам.

Я залез у гору
И кричу униз:
будя, будя, будя
Будя коммуниз.

Этот стишок, присланный семидесятисемилетним заключенным, получившим четырнадцать лет тюрьмы за убийство жены и любовницы, запомнился навсегда. Его не напечатали: рифма подкачала.

Вскоре мои тексты стали появляться на стенде «лучших публикаций недели».

Макарыч, главный редактор, в детстве был начальником партизанского самогонного завода: «Зимой без спирта — ни оперировать раненых, ни приводить в чувство партизан, пролежавших в засаде на морозе пять часов. А откуда в лесу спирт? В лесу — самогон». После войны он заочно окончил школу среднюю, потом высшую партийную, писал, с трудом связывая штампы, но помногу. Он был порядочным человеком: все наши промахи и даже грехи брал на себя, защищал до последнего, выбивал жилье, премии.

Как-то я допустил грубую ошибку в тексте, да и вообще все надоело, и подал заявление «по собственному», назвав себя неудачником.

Макарыч порвал мое заявление и сказал с усмешкой:

— Самым большим неудачником в истории был Иисус Христос. Так что тебе, дружок, еще расти да расти.

Думаю, многих богословов эта его фраза об Иисусе привела бы в восхищение.

Его заместителем был Эдик — еврей, умница, острослов, скептик и шахматист, пришедший в газету из школы, где преподавал математику. Он много и гладко писал, а еще славился тем, что сочинял стихотворные поздравления по случаю дней рождения каких-нибудь ответственных работников райкома КПСС. При этом Эдик был вольнодумцем, позволяя себе рискованные высказывания и в адрес советской власти, и партии, и генерального секретаря (наступила эпоха брежневского анекдотизма).

Ефим Семеныч Шафран заведовал отделом сельского хозяйства. На Курской дуге он был командиром пулеметного расчета, после войны дослужился до капитанских погон, при Хрущеве был выгнан из армии вместе с тысячами офицеров, не имевших специального образования. Не отчаялся — пошел на грошовую зарплату в судебные исполнители, окончил попутно техникум сельского хозяйства, писал заметки в районную газету, куда и был потом приглашен заведовать отделом. Жил он с женой и двумя пацанами на втором этаже старинного полусгнившего дома, в двухкомнатной квартирке с печкой и с туалетом во дворе. Дрова для печки носил на второй этаж из сарая. Под дождем и снегом разъезжал по полям и фермам на мопеде и писал заметки, какие тогда писали все. Его знали и уважали агрономы и ветеринары, доярки и комбайнеры.

По утрам он любил встречать редакционную молодежь с часами у двери: «Опаздываете на минуту тридцать две секунды, дорогие мои дарования!»

Маленького роста, сухой, щетка седых усов, никакого пафоса. Рюмку выпьет, но песню не подхватит. Сталинистом он не был, но и Сталина не ругал — считал за пошлость.

Однажды я без всякого надрыва заметил, что плохо жить в квартире без центрального отопления и с горячей водой только в чайнике, особенно если у тебя, как тогда у меня, новорожденный ребенок.

Ефим Семеныч наклонился ко мне через стол и спросил:

— А родина?

Я не понял.

И тогда Ефим Семеныч чеканным голосом настоящего героя Курской битвы и офицера, голосом человека шестидесяти двух лет, каждый день таскавшего на второй этаж дрова для печки и сравшего в обледеневшем сортире во дворе, проговорил:

— Если у тебя будет горячая вода в кране и теплый сортир, разве ты пойдешь умирать за родину?

Корреспондентом в газете работал и мой школьный дружок Алик. После службы в армии он устроился на бумажную фабрику слесарем, хотя мечтал жить в лесу, в избе, и писать книги «как Хемингуэй». Однажды он сочинил письмо в газету, в пух и прах раскритиковав академика Сахарова. Это был уникальный случай: рабочий *сам* написал в газету, да еще о Сахарове. Алика попросили написать что-нибудь еще, он написал, и его взяли в редакцию корреспондентом. Когда я как-то спросил его, что он знает про Сахарова и вообще — зачем написал такое письмо, Алик сказал: «Иначе я всю жизнь крутил бы гайки и ходил по уши в машинном масле».

Благодаря Алику я вскоре стал в городе своим. Обедали мы в открытой офицерской столовой, ужинали в ресторане, где летом на открытой веранде пахло выгребной ямой и каждый вечер встречались молодые неженатые офицеры и местные девушки.

Среди этих девушек выделялась Лиса, довольно яркая бабенка лет тридцати, переспавшая в городе, кажется, со всеми, кто носил погоны. Когда как-то одна офицерша застукала Лису с мужем, шалава бросилась бежать и прыгнула в шубе на голое тело с балкона третьего этажа в глубокий снег, ободралась — потом она задирала юбку и показывала царапины на пышных бедрах, но осталась жива и цела, весела и непобедима. Она не брала денег с клиентов — достаточно было угостить ее водкой — и успокаивала колеблющихся: «Не ссы, дружок, у меня там пружинка». Под пружинкой она подразумевала внутриматочную спираль, предохраняющую женщин от нежелательной беременности.

Иногда мы заглядывали в подвал, где была резиденция Золотого — он командовал бандой оформителей в отделе культуры райисполкома. Эта вечно пьяная компания писала лозунги, рисовала плакаты, а когда как-то они пропили отпущенные на оформление деньги, им пришлось через трафарет писать на длинной белой тряпке «Слава КПСС!», используя вместо красной краски «Солнцедар». Как же они выли от жалости, расходуя вино не по назначению...

По субботам мы всей редакцией выезжали то на уборку картошки, то «на елочки» — рубили еловый лапник, который в колхозах-совхозах перемалывался в муку для коров. Считалось, что это — кормовая добавка, хотя иногда весь обед коровы состоял только из этой муки, разведенной в теплой воде. Но об этом писать было нельзя. Нельзя было писать и о том, что свиней кормят рыбой. И еще нельзя было писать обо всем, что предусматривалось «Перечнем сведений, запрещенных к опубликованию в открытой печати», который хранился у главного в сейфе: о воинских частях, стоявших на каждом углу, о вылове неполовозрелых крабов, о реальных цифрах падежа скота, о приказе Минздрава, которым строго ограничивалась выдача больничных листов трудоспособному населению и медицинская помощь — старикам...

Газета писала о другой жизни — о той, где люди все как один вставали на трудовую вахту в честь очередного съезда партии, добивались высоких надоев и урожаев, боролись за первенство в социалистическом соревновании или за звание «ударник коммунистического труда», голосовали за «нерушимое единство партии и народа»...

Когда я сказал Макарычу, что районная газета — это самая вредная, самая глупая выдумка советской власти за всю ее историю, он со вздохом ответил:

— В партию тебе пора, дружок, вот что я тебе скажу.

— Зачем?

— Надо расти. А там и квартиру получишь.

— А что в заявлении писать?

— Ну что-нибудь вроде — хочу быть в первых рядах строителей коммунизма. — Макарыч поморщился. — Обычно этого бывает достаточно.

Написал заявление, и меня приняли кандидатом в члены КПСС.

В райкоме партии на парткомиссии, которая проводила предварительное собеседование с претендентами, член комиссии — мужественного вида рабочий — спросил, какие работы Ленина я читал в последнее время и что по этому поводу думаю. Я стал пространно отвечать — пригодилась муштра Ивана Андреевича Парутина, и вся комиссия заерзала: для них было полной неожиданностью, что кто-то *по своей воле* читает Ленина да еще что-то думает об этом. Мужественный рабочий смотрел в стол, громко сопел, и уши его были алыми. В какой-то момент мне захотелось поозоровать — задать ему тот же вопрос, что он задал мне, но благоразумие взяло верх. Меня прервали, поблагодарили и отпустили с миром.

Тем вечером, помню, мы с Аликом отмечали мое «вступление» у него дома.

Алик жил в комнате в Цыганском доме, обшарпанной трехэтажной халупе в центре города, окруженной сараями и дощатыми туалетами. Неожиданно к нам постучал Коля — тот самый Коля, с которым в детстве мы ночью прыгали с водопада. Оказалось, что по окончании зооветеринарного техникума он работал в одном из колхозов в нашем же районе. Выпили, разговорились. Коля рассказал о чудо-теленке, которого родила корова на его ферме, вскормленная «елочкой»: «Я его вскрыл — а у него желудка нет, у теленка. Никогда о таком даже не слышал! Мутант!»

Почти каждый день я выезжал в колхозы, совхозы, мелиоративно-строительные организации, ходил по фермам и полям, разговаривал с людьми, пил у них дома чай и водку, чтобы потом написать о «передовиках соревнования» или об «отдельных недостатках». В газете тексты выходили под заголовками «Идущие впереди» или «Куда ни кинь».

Дождливым августом я поехал в совхоз, чтобы рассказать о передовом опыте комбайнера, который сам установил на жатку комбайна «Нива» пальцы Морозова, поднимающие полегшие хлеба, и продолжал вести уборку ржи, тогда как остальные комбайны стояли. «Почему же остальные этого не делают?» — спросил я у главного инженера. «Потому что не делают, — мрачно ответил он. — Виктор Густавович у нас единственный непьющий механизатор со средним образованием, мужик грамотный, умелый, вдобавок немец, в перчатках работает, после работы трактор во дворе моет... а остальных ты знаешь...»

Остальных я знал.

Вечером того же дня в том же совхозе я присутствовал на заседании комиссии по борьбе с пьянством, созданной в связи с очередным постановлением ЦК и Совмина. Там-то я и встретился с выпускниками нашей школы-интерната для олигофренов.

Первой в комнату вошла бабенка лет тридцати, круглая, с выпирающим животом, миловидная, с глазами навыкате, горластая. Она с порога стала орать на комиссию, обзывая всех мудаками плешивыми и капиталистами. При этом она страшно заикалась, а когда она заикалась, лицо ее все перекашивалось, рот открывался полностью, челюсти дергались. Страшное зрелище.

— На каком ты месяце? — тихо спросил Николай Романович, директор совхоза.

— На седьмом.

— Этот от кого будет? От мужа или опять от кого?

— От Ленина! — захохотала она. — От Ленина-Хуенина!

Ее выгнали, потому что она начала приплясывать. Следующим был ее муж. Он затравленно озирался и зверски улыбался. Он украл на ферме несколько мешков ячменя, продал и запил. От него и сейчас разило. Директор совхоза смотрел на него отстраненно, и мне казалось, что он ничего не слышит. А члены комиссии ругали пьяницу-скотника и грозили ему всякими карами. Наконец скотник не выдержал и стал орать на комиссию. Его прогнали, потому что он ни с того ни с сего обоссался.

После заседания комиссии я посочувствовал директору, которому приходилось работать с такими людьми: одна пляшет, другой ссытся...

— А третий припадками страдает, — подхватил Николай Романович. — А четвертая теленка пыталась вынести на спине и продать, да сил не хватило у дуры. А неделю назад приехали переселенцы, получили подъемные, пропили и собственную дочь восьмилетнюю изнасиловали с пьяных глаз... а на десятой бригаде у меня Нина — да ты ее знаешь — с сыном-десятиклассником и дочкой-восьмиклассницей: четыреста голов каждый день доят, это ж каторга, и ты думаешь, эти дети в совхозе останутся? Да она каждый вечер перед сном встает перед ними на колени и умоляет: уезжайте при первой возможности, уезжайте — в город, хоть кем, хоть говно языком убирать, только подальше отсюда...

Мы тепло попрощались.

Писать об этом я, конечно, не стал. Как в таких случаях говаривал наш Макарыч: «Да пиши себе об этом, если так хочется, — только сразу на Би-би-си, а наша газета должна людей звать, мобилизовывать, вести к новым свершениям».

Перебирая в тот вечер библиографические карточки, на обороте которых я делал выписки из книг, наткнулся на цитату: «Как перед Богом по совести говорю, после 19 лет лишения свободы, что в этот день 1825 года я был прав по чувству, но совершенно не знал черни и народа русского, который долго, очень долго должен быть в опеке правительства; его разврат, пороки, изуверия, невежество требуют сильной централизации правления, и одно самодержавие может управиться с этим Амоханом. Боже, прости меня! В полночь 14 декабря». Эту запись в дневнике Александр Якубович, декабрист, «Дантон новой революции», вызывавшийся убить Александра I, сделал в ночь на 25 декабря 1843 года.

А на другой карточке — выписка из статьи Михаила Меньшикова «Толстой и власть», опубликованной в 1908 году: «Идеал вообще есть вещь, наиболее осуществимая из всех. Идеал есть самое лучшее, чего народу хочется, чего хочется всего сильнее, напряженнее, неотступнее, до страсти. Идеал есть высшее возбуждение воли. Согласитесь, что это условие, самое выгодное для достижимости. Если теперешняя действительность так печальна, то это не потому, что народные идеалы недостижимы (стоило бы в таком случае рассуждать о них!), — а потому лишь, что народные идеалы невысоки — в общем, как раз под стать невзрачной действительности».

Память любого районного газетчика переполнена тьмой. Может, потому они и спивались — почти поголовно?

В городе была неплохая библиотека, а в ней работали милые молодые женщины. Они придерживали для меня новинки, оставляли свежие номера «Иностранной литературы». В библиотеку я обычно заходил вечером, после работы.

Там-то, у библиотечной стойки, я и встретил Элю.

Я не сразу ее узнал. Вспомнил не имя — прозвище. Твигги — вот как мы ее называли: Твигги. Тростинка, прутик. Когда-то она была худенькой, стройной, с узкими бедрами и маленькой грудью, которую она прятала под пышным бантом, с рыжими кудряшками, милым козьим личиком. Кажется, ее звали Элей... Элеонорой... Она бывала на наших посиделках в университетском общежитии, пила мало, молчала, глядя на всех из угла большими голубыми глазами. Что-то еще... кажется, у нее был дефект речи, потому она и помалкивала... или дефект речи был у ее подруги — яркой толстухи с красивыми коленками? Подругу звали Адой, мы называли ее Исчадием Ада.

— Эля? — спросил я.

Она молча улыбалась.

— Долго ли, коротко ли на литургии в Гибралтаре Тургенев с турком торговал, да тот так и не дрогнул, — быстро проговорил я.

— Да я тебя и без Гибралтара помню, — сказала она. — Очень хорошо помню. И язык у меня в порядке... это у Ады, у подруги — помнишь ее? Все таращились на ее коленки. Исчадие Ада. Это у нее был Тургенев в Гибралтаре... каша во рту...

Эля чуть-чуть располнела, и ей это шло: стала шире в бедрах, у нее появилась задница, хотя грудь осталась по-прежнему маленькой. Волосы из рыжих стали темно-каштановыми. На безымянном пальце левой руки у нее зеленело нефритовое колечко. Спускаясь по лестнице, она держалась прямо и покачивала бедрами: в ее походке появилась женская уверенность.

Эля пригласила к себе — она жила неподалеку, напротив милиции.

По дороге я купил вина.

Она жила в комнате с низким потолком, низкой тахтой, платяным шкафом и столом у окна, заваленным книгами и нотами: Эля преподавала в музыкальной школе.

— Самое противное, — сказала она, доставая стаканы, — это уговаривать родителей заплатить за детей. Они хотят, чтобы их детей учили музыке, но платить почти никто не хочет. Директор требует, чтобы мы ходили по домам и выпрашивали деньги... ходим и выпрашиваем... унизительно... а ты? Что ты?

Я стал рассказывать о газете, о жизни между райцентром и родным городком.

— Помню, в той компании, в университете, ты был единственным, кто не писал стихов...

— И сейчас не пишу, — сказал я.

Мы заболтались, забыв о времени. Спохватился я поздно. Теперь мне предстояло либо ехать на каком-нибудь клайпедском, рижском или таллинском автобусе до перекрестка, а оттуда километра четыре топать пешком до родительского дома, или бежать на поезд — далеко, мимо тюрьмы, через мост, или проситься на ночлег к Алику, но я не был уверен в том, что у него не ночует Лиса или кто-нибудь из ее подружек. Эле я об этом не стал говорить, она, видимо, сама все поняла.

— Можешь остаться у меня. — Голос ее задрожал, когда она выпрямилась и храбро сказала, глядя мне в глаза: — Но учти: у меня нет женской биографии. Вообще есть, а женской — нет.

Через полтора месяца мы поженились.

Мы жили в комнатке с водопроводом, но без канализации, с плитой на две конфорки, которую нужно было топить углем. Топи не топи — зимой в углах намерзал лед.

Слева за стеной жила здоровенная Нинка с двумя дочками, которых она неизвестно от кого прижила. Нинка была культработником, то есть получала гроши, ездила с агитбригадой по колхозам, пела, плясала, азартно топая своими огромными корявыми ногами и придерживая руками пошлый кокошник на голове, выкрикивала речевки про партию и высокий урожай.

Весь день ее девочки проводили у Баранихи, которая жила в комнате напротив и содержала нелегальный детский сад. Дело было прибыльным:

в обычном детском саду мест всегда не хватало. К Баранихе приводили десяток детей, и она целыми днями на них орала так, что иногда прибегали из милиции — спросить, кого убивают. Бараниха когда-то сломала ногу, потом нога зажила, но старуха с костылем не расставалась, потому что костыль придавал ей весу, солидности, а заодно служил орудием в спорах с соседками. Она называла целлофан фалафаном, а минеральную воду — генеральной. Гнала, разумеется, самогон, и иногда случалось, что матери, пришедшие вечером забирать своих деток, находили Бараниху лежащей на полу и поющей песни, а вокруг нее ходили дети, взявшись за руки и выкрикивая припев: «Ах, еб твою мать, плыли две дощечки!»

Однажды поздним зимним вечером я отправился в туалет. Это была дощатая будка, входить в которую следовало очень осторожно, держа в руке свечку, зажигалку или фонарик, потому что внутри будка была заляпана дерьмом — пол, стены и даже потолок. Зимой коммунальщики не успевали выкачивать дерьмо из выгребных ям, и некоторые дощатые туалеты во дворах стояли на покачивающихся полузамерзших говнопробках. Если человек неосторожно начинал шевелиться в сортире, будка угрожающе кренилась и раскачивалась, грозя перевернуться.

И вот я направился в это опасное место. У меня был с собой фонарик. Свернув за угол, я обнаружил будку опрокинутой и орущей голосом соседки Нинки. Я бросился на помощь. Кое-как поднял дверь и увидел Нинку, которая лежала вверх ногами. Вот за эти ноги я ее и потянул. На помощь подоспел кочегар из соседнего дома, и хотя он был по-кочегарски пьян, нам вдвоем удалось Нинку из говна вытащить.

Пальто, обувь, меховая шапка — у Нинки все было в говне. Но ей было не до того, она была так перепугана, что бросилась нас благодарить и обнимать. Кочегару спастись не удалось.

На следующее утро Нинка постучала и пригласила нас с Элей в гости. Мы купили поллитровку. В Нинкиной комнате сидел хорошо одетый огромный мужчина — ее отец. Он был председателем рыболовецкого колхоза. Лицо у него было каленое, медное — лет двадцать ходил в море, пока не осел в конторе. Он пожал мне руку и пригласил к ведру. А в ведре были вареные креветки. Таких креветок тогда в нашей стране, наверное, не видел никто. Я — уж точно не видел никогда: в магазинах продавалась мусорная мелочь «к пиву». Тем вечером мы выпили три бутылки водки и съели ведро этих гигантских креветок. И после этого мы еще погуляли по городу, а потом тихо вернулись домой и легли спать.

Нинка так расчувствовалась, что подарила нам тетрадь со своими стихами. На первой странице в обрамлении роз и лилий красовался эпиграф: «Стихи, написанные мною, прочтет лишь тот, кто их достоин», а на второй начинались собственно стихи:

Ты ушел, любви не зная,
Конфету шоколадную жуя.
Так пусть тебя полюбит лошадь злая,
А не такая ласточка, как я.

В конце января Эля простудилась. Поднялась температура.

Я сходил в милицию и позвонил из дежурки в «Скорую», но она не могла приехать: не было бензина.

Было около полуночи.

Эля сказала, что с такой головой она в больницу не пойдет. Я согрел воды, она вымыла голову, и мы не торопясь дошли до больницы — она была неподалеку. Дежурный врач осмотрел Элю и велел санитарке отвести больную в палату. Я обещал зайти утром. Мы не стали прощаться. Она ушла за санитаркой не оглядываясь.

У крыльца разгружалась машина, за рулем которой сидел знакомый председатель колхоза. Его брат сломал ногу, а в больнице не оказалось гипса, вот председатель и привез врачам несколько мешков гипса с колхозного склада.

Я удивился: откуда гипс? Гипсование обычно применяется на солонцовых почвах, в степях, а зачем гипс тут, в Прибалтике? Председатель — по специальности он был агрономом, а по призванию занудой — стал объяснять важность удаления из почвы обменного натрия. Покурили. Я вернулся домой, попытался читать, но заснул.

Утром мне позвонили на работу, попросили прийти в больницу.

Когда я поднялся на второй этаж, дверь прямо передо мной открылась, навстречу выскочила заведующая терапевтическим отделением Люся, Элина подруга, и схватила меня за плечи, о чем-то спрашивая, спрашивая, а я смотрел через ее голову в палату, где какая-то женщина, лежавшая на кушетке, пыталась растолкать обступивших ее врачей — я видел ее голые колени и голую руку с нефритовым зеленым кольцом на левом безымянном пальце — и встать, и встать, но ей это не удавалось, не удавалось.

Люся с неожиданной силой схватила меня за руку и потащила по коридору, затолкала в свой кабинет, налила из графина в стакан, выпила, снова налила. Вошел мужчина в белом халате, кивнул и вышел. Люся протянула мне стакан, я резко оттолкнул ее руку — вода выплеснулась на стол, на какие-то бумаги.

— Отек легких, — сказала Люся. — Прости.

Эля была на пятом месяце беременности. Родиться должна была девочка.

Такой зимы в Прибалтике не было давно. Морозы ниже двадцати, ураганные ветры с моря, снежные заносы такие, что тридцать километров до областного центра машины преодолевали за несколько часов, да и то только в сопровождении бульдозеров.

Землю на кладбище пришлось отогревать зажженными автопокрышками. Мужики долбили землю ломами — по десять сантиметров в час. Из-за этого похороны пришлось отложить на вечер. На вершине холма поставили зенитный прожектор, процессия еле двигалась, увязая в сугробах, шел снег — настоящее снегопреставленье.

Народу собралось очень много, я и не ожидал. Друзья-офицеры, друзья-врачи, просто друзья-товарищи, много незнакомых людей. Приехали родители Эли, ее отец постоянно повторял, что это неправильно, когда старики хоронят детей, неправильно, так быть не должно, нет, не должно, Исчадие Ада отчаянно рыдала, роняя слезы на заснеженный Элин лоб, а я все вспоминал и не мог вспомнить, откуда в Прибалтике взялся избыток обменного натрия в почве...

Через месяц Макарыча перевели в другой район, его квартиру отдали ответственному секретарю — Верочке, а ее жилье — мне.

Двухэтажный немецкий дом, четыре квартиры, моя — наверху. Кухня, туалет, черт возьми, ванна, трапециевидная комната с разновысоким кривым потолком. Тахту без ножки я поставил на желтый пятитомник Сервантеса, притащил из редакции списанный письменный стол, родители подарили секретер.

Жизнь перевернулась, и я, может быть, впервые по-настоящему задумался о будущем. Что-то мне подсказывало: если пустить дело на самотек, никакого писателя из меня не выйдет. С утра до вечера, часто и по выходным приходилось писать в газету — тысячи строк, поток. А «свое» — урывками: выходные, отпуск. А писать надо много — это я даже тогда понимал. Значит, выход один — рано ложиться, чтобы рано вставать.

Купил будильник, завел на пять утра и лег. Летнее солнце лупит в окна — никакие шторы не помогают. Да и спать неохота. Крутился, вертелся часа три, если не больше. Наконец заснул. Встал по будильнику — в голове гул. Вышел в кухню — на подоконнике сидит ворона. Смотрит на меня, не улетает. Я насыпал на подконник какой-то крупы, пошел умываться. Вернулся — вороны нет, крупы нет, а на подоконнике насрано.

Завтрак — проблема. В магазинах — пряники да соусы в баночках: «Восточный», «Московский», — а к чему соусы-то? Ну разве что к ливерной колбасе, которая иногда появлялась на прилавках. Пришлось запасаться пряниками. Пожуешь, запьешь крепким чаем — и за стол. Писал я много: романы, повести, рассказы, пьесы и бог знает что еще. Потом все это пригодилось для растопки — в квартире была настоящая немецкая печка, кафельная.

Мучительно было привыкать к ранним подъемам, но выбора у меня не было. Пряники, крепкий чай — и за стол. К осени попривык. И ворона ко мне прилетала до ноября, ради нее я окно в кухне всегда держал открытым. Прилетит, склюет пшено, насрет — и была такова. Привыкнуть не мог только к этим пряникам — их вкус до сих пор вызывает тошноту.

Внезапно я обнаружил, что привлекаю повышенное внимание женщин. На меня показывали пальцем, за моей спиной шептались, и со мной, черт возьми, хотели познакомиться поближе. Понятно, что смерть молодой женщины, ждавшей ребенка, поразила чувствительные сердца скучающих жительниц маленького городка, где никогда ничего не происходит. Меня жалели: я был *страдающим супругом,* вдовцом, черт возьми, нуждающимся в утешении.

Первой решила утешить меня Люся, Элина подруга, заведующая терапевтическим отделением районной больницы. Как-то вечером она зашла с бутылкой вина в сумочке, мы выпили, Люся заговорила вдруг о чувстве вины, потом расплакалась, я принялся ее утешать, и мы естественным образом оказались в постели. Но связь эта была недолгой. Мы оба чувствовали мучительную неловкость: Люся пыталась расплатиться со мной сексом за смерть подруги, а я выступал в унизительной роли сборщика постыдного налога. После трех-четырех встреч мы расстались, почувствовав после этого облегчение и оставшись друзьями.

Потом была другая Элина подруга — та самая Ада, Исчадие, с Тургеневым в Гибралтаре, жаркая, необъятная, душевная, но глупая во всем, что не было связано с сексом и нежелательной беременностью. С множеством ярких деталей она рассказывала о том, как избавлялась от плода, выпив из горлышка бутылку крепленого и сев после этого в горячую ванну. «А еще это можно сделать при помощи вешалки...»

Вскоре я понял, что превращаюсь в какую-то непристойно-комическую персону, и стал запирать дверь на ключ и цепочку. С Аликом у нас был даже уговор об особом стуке, чтобы я мог опознать друга.

В тот вечер, когда пришла Лиса, я слушал музыку — кажется, Моцарта (к этому меня пыталась приучить Эля), музыка звучала довольно громко, и стук в дверь показался мне условным знаком, о котором знали только я и Алик.

Я сбросил цепочку, распахнул дверь, Лиса нырнула под мою руку и мигом оказалась в квартире.

Я был ошеломлен. Это же была Лиса, та самая Лиса, *пащая,* которая переспала, кажется, со всеми офицерами гарнизона, героиня семейных скандалов и непристойных историй. Ее прозвище стояло в синонимическом ряду, начинавшемся со слова «блядь». А я никогда не имел дела с шалавами. Ни с девушками с пятого перрона Южного вокзала, ни с теми, что подрабатывали в такси, интересуясь у клиента, не желает ли тот «свежатинки», ни с обитательницами общежития трамвайно-троллейбусного управления, имевшего в Калининграде дурную славу, ни с морячками, женами моряков дальнего плавания, которые по вечерам ловили мужчин в ресторанах, ни с девицами, дежурившими на «разводах» — на стоянках такси у ресторанов, откуда их забирали клиенты, а потом, уже заполночь, милиционеры из мотодивизиона, которые увозили девиц в свое общежитие, ни, наконец, с офицершами, погуливавшими налево, пока их мужья дежурили в подземных бункерах на ракетных базах, хотя эти офицерши трахались не за деньги, а от скуки...

Лиса скинула туфли и с интересом обследовала мою квартиру, не умолкая ни на минуту: «Ого, унитаз! А мы-то ссать на улицу бегаем. И ванна, надо же, помыться можно. Классная у тебя печка. Книжки любишь? Так я и думала. — Остановилась перед фотопортретом Отара Иоселиани с мухой на лбу. — Бляха муха! Отар? Грузин? Тогда понятно. А я мухами брезгую...»

Здесь можно было бы написать фразу «я утратил дар речи», но это было бы неправдой: я просто не знал, о чем разговаривать с *такой* женщиной.

Она достала из сумочки бутылку водки, я принес стаканы, мы сели за стол, выпили, закурили.

Я лихорадочно соображал, как бы от нее избавиться. У нее были красивые плечи, великолепное тело, умопомрачительные бедра, все так, она была очень привлекательной, очень сексуальной, но, боже правый, это была Лиса! Сама Лиса! Я струсил не на шутку. Она сидела напротив, *одетая в порфиру и багряницу, украшена золотом, драгоценными камнями и жемчугом, и держала золотую чашу в руке своей, наполненную мерзостями и нечистотою блудодейства ее, и улыбалась, не сводя с меня взгляда.* Весь запас провинциального жизнеспасительного лицемерия поднялся из глубин моей души и вопил, требовал, чтобы я немедленно что-нибудь придумал. Я ничуть не сомневался в том, что, невзирая не позднее время и темноту, кто-нибудь да видел Лису входящей в дом (а потом увидят и выходящей), а поскольку в этом доме я был единственным неженатым жильцом, то завтра же весь город узнает, что я переспал с этой шлюхой, с распоследней шлюхой. Да она сама всем об этом расскажет, как только выйдет отсюда, даже если ничего между нами и не случится. И тогда — конец моей репутации приличного человека, романтического героя, совсем недавно похоронившего жену. Конец репутации человека, умеющего держать язык за зубами и обделывающего свои темные делишки так, чтобы об этом никто — ни сном ни духом, то есть в рамках приличия.

Пепельница наполнилась. Я вынес ее в кухню, вытряхнул окурки в ведро, обернулся, почувствовав, что Лиса стоит за спиной, она вдруг прижалась ко мне и проговорила, глядя снизу вверх на меня своими красивыми блядскими глазами, полными слез:

— Не прогоняй меня, пожалуйста.

Я наклонился к ней — и вдруг чихнул. Потом еще раз, еще и еще.

— Вот видишь, — прошептала она. — Это знак.

Когда ей было двенадцать, мать отдала ее мужчине, которого пыталась удержать любым способом. Но Лиса на мать не обижалась — тот мужчина научил ее всему, и он был превосходным любовником: «Ты знаешь, что такое оргазм? Впервые у меня это было с ним». В шестнадцать с небольшим, уже беременная, она вышла замуж за могучего красавца и отпетого негодяя, который бросил ее через три месяца и уехал черт знает куда. Она родила дочь, окончила техникум и работала товароведом в горторге.

Под утро она наконец спросила:

– Ты любил ее? Жену свою — любил?

— Не знаю, — честно ответил я. — Мне было хорошо с ней, но я не уверен, что это была любовь. Иногда я думаю, что не способен на любовь. Когда она умерла, мне стало стыдно. Мне и сейчас стыдно, когда я думаю о ней, но не уверен, что это любовь...

Похоже, она не ожидала такого ответа.

— Все вы, мужики, козлы, — наконец беззлобно сказала она. — Давай-ка баиньки.

На следующий день я ждал ее, и она пришла.

— Ты хоть жрал что-нибудь? — спросила она. — Нет уж, давай-ка я сама приготовлю.

Через неделю я дал ей второй ключ от квартиры. Она принесла халат, тапочки и зубную щетку. К моему возвращению готовила ужин — у нее это неплохо получалось. Иногда мы ходили в кино. Ее звали Ксенией — я называл ее Сеней, и ей это нравилось. О нас судачил весь городок. На меня смотрели с изумлением, но вопросов не задавали. По выходным мы занимались сексом где придется — на полу в тесной прихожей, в ванной, в кухне. Я наконец-то понял, что имеется в виду, когда о женщине говорят «отдается»: Лиса отдавалась всем телом, словно пытаясь стать частью меня, отдавала себя всю, всю, и если бы у нее была душа, то она, наверное, отдавалась бы и всей душой. Я упивался ею, а ей — ей хотелось нравиться мне. Она пыталась читать новеллы

Сервантеса, который мешал нам заниматься сексом на тахте: желтые тома расползались от тряски. Она пыталась слушать музыку, которую слушал я. Она сменила прическу и перестала нещадно краситься.

После ужина я читал ей вслух «Анну Каренину». Пришлось довольно долго растолковывать смысл эпиграфа, слова Апостола, которые Толстой предпослал роману: «Мне отмщение, и Аз воздам», а потом дело пошло. Каждый день мы читали пять-шесть страниц, а то и больше. Сеня была очень сентиментальной: судьба Анны трогала ее до слез.

Я старался не думать о будущем, понимая, что его у нас нет. Жил, замерев в настоящем, боясь неловким словом или движением запустить какие-то страшные часы.

Это продолжалось больше двух месяцев.

Сеня задерживалась допоздна, когда навещала свою мать. Но в тот раз она пришла под утро. Вымылась ледяной водой с ног до головы, залезла под одеяло — ее прохладное и влажное тело пахло земляничным мылом — и сказала: «Вот и все». Я попытался поцеловать ее — она меня легонько отстранила и стала рассказывать о том, как убила любовника своей матери, который изнасиловал Алину, потом убила мать, пытавшуюся защищать любовника, а потом убила и дочь, чтобы та не повторила судьбу матери, то есть Сени. Я не поверил ей. Тогда она повторила свой рассказ, потом крепко обняла меня и замерла. Я погладил ее по голове и сказал, что у нас впереди два дня, суббота и воскресенье, вдруг что-нибудь да придумаем, можно ведь подождать до понедельника...

— Нет, — прошептала она. — Так не должно быть, и ты это сам понимаешь. Должен понимать.

Утром она снова приняла ледяной душ, тщательно оделась, собрала свои вещи — халат, тапочки, зубную щетку — и ушла.

После обеда я вышел прогуляться и обнаружил на входной двери последний привет от Сени. Дверь была обита чистым желтым электрокартоном, на котором она оставила свой поцелуй — отпечаток густо напомаженных губ. Ей пришлось опуститься на колени, чтобы оставить отпечаток в том месте, ниже дверной ручки. До той минуты я все еще не верил во все то, что она наговорила, во все эти убийства, а тут понял, что она говорила правду, и чуть не закричал от ужаса. Вернулся в квартиру, схватил мокрую тряпку и принялся тереть картон, проклиная на чем свет стоит Сенину сентиментальность, тер и тер, пока на двери не осталось и следа этого душераздирающего поцелуя.

Суд приговорил ее к четырнадцати годам исправительно-трудовых лагерей.

Через два года она погибла в колонии: в драке лесбиянок ей перерезали горло куском стекла.

А вскоре электрокартон на двери я заменил черным дерматином.

Сегодня мне кажется, что Сеня правильно поняла слова Апостола. То есть она поняла эти слова, конечно, в противоположном смысле, ошибочно, как будто вывернув подлинный смысл наизнанку, но иногда горячее человеческое «наизнанку» ближе к правде божьей, чем правота тех, кто не способен любить...

К тому времени я уже мог сочинить репортаж о посевной или очерк о передовом рабочем, не выходя из редакции, не встречаясь с героями, вообще в глаза их не видев ни разу: достаточно было двух-трех имен, двух-трех фактов и цифр, а эти сведения можно было узнать по телефону, позвонив секретарю парткома или председателю профкома, — остальное составлялось из готовых штампов. Меня уже не тошнило от этих текстов: привык. Я знал наизусть все семь колхозов и три совхоза в нашем районе, по многу раз побывал на всех фабриках и заводах, в школах, магазинах, во всех сельских домах культуры, заполнявшихся лишь раз в год, когда там проводилось отчетно-выборное собрание колхозников, побывал в суде, прокуратуре, даже тюрьме, где заключенные, занятые выпуском садовых насосов, боролись за звание «ударник социалистического труда», потому что звания «ударник коммунистического труда» они — большей частью убийцы — были недостойны, и даже в военкомате побывал, когда районному военкому вручали медаль за спасение семьи, которую этот могучий майор одного за другим — пятерых — вытащил из горящего дома.

После церемонии награждения военком угостил нас выпивкой. Разговорились. Майор стал рассказывать о молодых мужчинах, которые приходили в военкомат с просьбами отправить их в Афганистан, вспомнил, как в шестидесятых люди просили отправить их во Вьетнам, потом в Анголу...

— Скучно им, — сказал майор, — от скуки — хоть на войну...

— Время такое, — сказал кто-то. — Плоскогорье...

Брежневское безвременье — с особенной остротой оно чувствовалось в маленьких городках, где людей согревало неживое тепло, выделявшееся при гниении истории. Время как будто увязло в яме со смолой. Яд безвременья был разлит в воздухе, и стихотворение Тютчева «Mal'aria» казалось мне тогда чем-то вроде эпиграфа к эпохе:

...незримо
Во всем разлитое, таинственное Зло —
В цветах, в источнике прозрачном, как стекло,
И в радужных лучах и в самом небе Рима.
Все та ж высокая, безоблачная твердь,
Все так же грудь твоя легко и сладко дышит —
Все тот же теплый ветр верхи дерев колышет —
Все тот же запах роз, и это все есть Смерть!..

Это был ад, но не тот ад, о котором писали Данте или Джойс, не ад буйного пламени и крючьев, не ад палящего стыда, кровоточащих сердец и дрожащей плоти — это был ад Скаррона, о котором вспоминали герои «Братьев Карамазовых»: «Я видел тень кучера, который тенью щетки тер тень кареты»[1], ад без цвета, без вкуса, без запаха.

И казалось, будто огромный мешок набросили на весь тысячелетний двухсотмиллионный русский народ, и он притих, замер в полусонном оцепенении, безмыслии, пьянстве, вполне смирившись с тем, что он нечувствительно превращается в тень истории...

Впрочем, нельзя, конечно, забывать о том, что русский народ сам немало постарался для того, чтобы этот мешок оказался на его голове, и *привычка к злу* была свойственна русскому народу в такой же степени, в какой она была свойственна и русской власти.

Коллективная воля к добру порождает зло, а отсутствие коллективной воли вообще делает зло необоримым.

Любая перестановка в высших эшелонах власти воспринималась как знак, как предвестие перемен, и все гадали, что означает назначение этого министра или перевод этого человека из кандидатов в члены Политбюро. Ничтожной повседневности люди предпочитали темное будущее. Именно тогда многие все чаще стали задумываться о том, что будет *после всего этого.* Брежнева, его соратников и саму тогдашнюю систему похоронили заживо. Но — что потом? Хотелось, чтобы это *потом* случилось при нас, при нашей жизни.

---

[1] «J'apercu l'ombre d'un cocher, qui, tenant l'ombre d'une brosse, en frottait l'ombre d'un carrosse».

Ничего, однако, не менялось, разве что в прессе усиливалась героизация обыденности, принимавшая все более неприятные и пошлые формы.

Моя школьная учительница литературы Нина Михайловна Чугунникова сказала как-то, что ей уже, наверное, не дожить до той светлой поры, когда старшеклассникам перестанут предлагать для сочинений тему «В жизни всегда есть место подвигу».

Именно тогда произошла дегуманизация подвига, опустошение самого этого понятия. Молодой человек погибал, спасая тепловоз, и в газетах это называли подвигом, и никто не говорил о том, что никакой тепловоз не стоит человеческой жизни, а философ Михаил Гус, писавший о Гоголе и Достоевском, ставил этого несчастного парня в пример французским экзистенциалистам, критикуя их идею бессмысленности человеческого существования. Другой парень спасал посевы пшеницы от пожара и тоже погибал, оставив вдовой беременную жену, и его славили в газетах, и никто не вспоминал о гибнущих тем временем на корню посевах зерновых — гибнущих только потому, что дело было дурно организовано и зерно не успели убрать, да еще помешали дожди, да еще комбайнеры запили, и проще потом было полить эти посевы солляркой и сжечь, как это и сделали в одном из наших совхозов.

Люди спасались от безвременья — кто как мог. Пили водку, уходили с головой в Пушкина, в Булгакова, в Цветаеву, в японскую литературу, в русскую икону, в Агафьюшку — так тогда называли Агату Кристи, в Стругацких, в оккультизм, в уфологию...

Я ничем не отличался от этих людей. Сочинение историй было для меня не только внутренней потребностью — хотя внутренней потребностью прежде всего, — но и способом выживания, самосохранения в эпоху безвременья с ее болезненной бесцветностью, монотонностью, с ее вялостью и бессилием, с ее скукой и безмерной русской тоской по празднику, когда иной раз казалось, что уж лучше русский бунт, чем эти советские будни...

Обычно после получки мы скидывались и устраивали скромное застолье в редакции. Эдик был душой компании: пел про школу Соломона Кляра, рассказывал еврейские анекдоты, забавные случаи из жизни — он был настоящим мастером устного рассказа.

После работы он играл в шахматы с другом — директором автоколонны, таким же умницей и острословом, они громко смеялись и пили водку.

«Единственный недостаток водки — недостаток водки» — это была любимая его поговорка.

Но после назначения главным редактором он изменился. Ну да, я тысячу раз слыхал: «Дай человеку лычки — идиотом он станет сам». Но когда это происходит с другом, это ужасно. Эдик каждый день напоминал всем нам о том, что он теперь — член бюро райкома КПСС, председатель таких-то и таких-то комиссий райисполкома и т. п.

После одной из вечеринок в редакции мы с Аликом спускались по лестнице, и Алик сказал: «А жаль, что Эдик больше не поет еврейские песенки, у него это так весело получалось!» Да, согласился я, веселья у нас стало меньше.

Эдик шел за нами, все слышал, но смолчал.

Вечером он зашел к соседу — секретарю райкома по идеологии — и сказал, что Алик «позволил себе антисемитское высказывание». Секретарь был трусом и мямлей. Он испугался и стал уговаривать Эдика «не помнить зла». Наутро Эдик пошел к первому секретарю райкома и потребовал наказать Алика «за антисемитизм». Это было серьезно — это была «политика». Эдика уговаривали, отговаривали, звонили даже из обкома партии — он стоял на своем. Вызвал меня в свой кабинет и потребовал, чтобы я вынес на обсуждение первичной партийной организации — я был ее секретарем — вопрос об антисемитизме Алика. Я отказывался — он настаивал. Пришлось собирать внеочередное партсобрание.

Парторганизация была маленькой: пятеро сотрудников редакции и трое — из типографии, включая ее директора. Парторганизация отказалась считать высказывание Алика антисемитским. Эдик сказал мне, что впредь мы только на «вы», написал заявления в райком, обком и лег в больницу.

Вечером ко мне пришла его жена — милейшая и уважаемая учительница русского языка и литературы — и сказала, что не знает, как быть: «Эдик пьет без просыху, по ночам кричит, мы разругались, дочь плачет и плачет». Я не знал, чем ей помочь.

Алик от греха подальше попросил в райкоме, чтобы его направили в колхоз, и вскоре его сделали секретарем партбюро отдаленного колхоза, дали там дом.

Эта дикая история закончилась безрезультатно, то есть никаких официальных решений «об антисемитизме» принимать никто не стал, но атмосфера в редакции испортилась бесповоротно.

История глупая, и рассказываю я обо всем этом только потому, что эти события повлияли на мою жизнь.

Жизнь в маленьком городке, в поселке или в деревне *узка,* выбор — беден, и потому там, где людям некуда было деваться, советская власть — точнее, советская жизнь — являлась во всей своей наготе, непричесанной, неприбранной и немилосердной...

Вернувшийся из больницы Эдик в первый же день сказал, что считает меня «прожженным антисемитом и погромщиком». Я подал заявление «по собственному», попросил первого секретаря — Михаила Андреевича Суздалева — отправить меня куда угодно, хоть в колхоз, но он сказал: «Потерпи. У нас другие планы. А сейчас давай-ка прокатимся».

Мы сели в машину — первый был сам за рулем — и поехали в колхоз. По дороге я понял, что Суздалев хочет меня «прощупать», поближе познакомиться. Я не возражал. Он хорошо знал моих родителей, и мы разговорились о том о сем, о житейском.

Михаил Андреевич не был похож на типичного функционера с пузом — он был рослым, стройным красавцем с простецким лицом и выговором, великолепной шевелюрой цвета «перец с солью», шумным, эмоциональным, а вдобавок — как шептались — неукротимым бабником. И биография у него была необычная. Работал учителем истории в сельской школе, вскоре стал ее директором, а однажды попросился на пост председателя местного колхоза, жалко издыхавшего под боком у райцентра. Его сделали председателем, он заочно окончил сельхозинститут. Колхоз стал оживать. Говорили, что новый председатель каждый день платил тем, кто вовремя выходит на работу и не уходит прежде срока.

Как-то осенью по радио передали, что на следующий день ожидаются сильные заморозки, переходящие в сильные морозы. Свеклу убирали поздно, чтобы она успела «подсахариться», а тут речь шла о гибели урожая. Председатель собрал людей со всего поселка, выложил пачки денег на стол и попросил поработать ночью. Люди согласились. После этого Суздалев поехал в наш городок и попросил моего отца одолжить на одну ночь прожекторы, которые стояли и висели на территории фабрики. Отец сказал, что не может этого сделать, но на складе валяются корпуса старых прожекторов, которые издали нипочем не отличить от новых, а охрана никогда не проверяет, какие там прожекторы стоят на дальних участках фабрики, где складывали трубы, кирпич и бухты проволоки. Вечером Суздалев со своими людьми заменил новенькие прожекторы на пустые корпуса, которые ему — все равно выбрасывать — отдали со склада. Всю ночь сотни людей убирали свеклу при свете мощных фабричных прожекторов и успели убрать весь урожай, после чего Суздалев тотчас вернул прожекторы на фабрику.

Этот эпизод вполне сгодился бы для советского очерка о хорошем председателе колхоза. Суздалев таким и был. Вскоре его сделали председателем райисполкома, а потом первым секретарем райкома. И на том все кончилось. Если бы существовала должность директора района, он был бы идеальным кандидатом на этот пост. Михаил Андреевич просто не понимал, что это такое — партийное руководство хозяйством (впрочем, этого никто в стране не понимал), и мучился, уговаривая бездарей-руководителей «проявлять инициативу и настойчивость», хотя ему явно хотелось надавать бездарям по шее и самому взяться за дело.

— Мы же марксисты, — сказал он мне, — мы же понимаем, что меняй людей не меняй — ничего не изменится, пока не поменяем систему. И ведь все это понимают, но думают одно — говорят другое...

Я не стал спрашивать у первого секретаря райкома КПСС, что он подразумевает под «системой».

Вернувшись из колхоза, мы остановились у райкома, и Суздалев сказал: «Заканчивай срочно университет — нам нужно, чтобы у тебя было высшее образование. Это не просьба».

У него была забавная привычка: прощаясь с кем-нибудь, он говорил: «Жму руку», — но руки не подавал.

Я восстановился в университете (на заочном отделении), за месяц сдал все зачеты и экзамены за два курса — преподаватели «по старой доброй памяти» ставили иногда оценки не глядя — и взялся за диплом.

В редакции появилась новая сотрудница — девушка с прекрасными персидскими глазами. Дождавшись, когда ей исполнится восемнадцать, мы поженились. Свадьба была, разумеется, скромной, но все редакционные на ней были, включая Эдика.

К свадьбе нужно было купить мяса. Алик посоветовал обратиться к Таньке, которая заняла его освободившуюся квартиру в Цыганском доме. Это была деваха лет двадцати семи — тридцати с брюзгливым лицом, толстенными стройными ногами без колен и скверным характером. Она работала продавщицей в мясном магазине, прилавки которого были вечно пусты, хотя к заднему входу каждый день подъезжали машины с мясокомбината.

Когда я пришел к ней за мясом, Танька сказала:

— Эдик твой — пидарас: в школе меня гнобил, а сейчас жопу лижет, вспоминает, какая я была хорошая... дай мясца, Танюшенька... Танюшенька и Танюшенька... да меня Танюшенькой даже муж не ебет — только Танькой... морда жидовская... Мне вот тут понадобилось аборт сделать, позвала докторшу, и она мне прямо тут, на этой колоде (кивнула на колоду, на которой в подсобке рубили мясо), все и сделала. Я ей за это печенки дала.

Говорила она, впрочем, о прежних временах: после назначения на должность главного редактора Эдик получил доступ в подвал райкома партии, где рубили мясо «для своих», и очень этим гордился.

Рядом с электронными весами в мясном магазине стоял электрочайник, и я знал — почему: если включить электрочайник, весы дадут сбой.

Танька перехватила мой взгляд, усмехнулась и спросила: «Десяти кило хватит?»

На свадьбе Эдик был тих, много пил и говорил моей матери:

— Знаете, Зоя Михайловна, в районной газете можно полноценно работать три года, а потом — все, каюк, мозги набекрень, хотя никто этого не замечает. Три года. Я это называю нормой безумия. А я пять норм отработал. — Он поднял пятерню — пальцы дрожали. — Пять.

С рождением сына у нас начались новые проблемы. Мало того что в магазинах не было еды, а за той, которую выбрасывали иногда на прилавки, приходилось выстаивать в буйных многочасовых очередях, — так в детской молочной кухне не было молока, в универмаге не было ни пеленок, ни детской одежды, а в кране — воды.

В городе была дефектная система водоснабжения, она то и дело выходила из строя, и воду отключали на пять, семь, а то и на десять дней. К колодцам выстраивались очереди, а их, колодцев, было всего три на десятитысячный город. Наш колодец находился во дворе через дорогу. Я ставил на детские санки два ведра и отправлялся по воду. В большом полутемном дворе мерзла мрачная терпеливая очередь — несколько сот мужчин и женщин. Вода в колодце то и дело кончалась — вычерпывали, и люди ждали, пока снова наберется. Часа через два-три я возвращался домой. Теперь можно было искупать малыша и приготовить еду.

В аптеке свободно можно было купить только анальгин, ацетилсалициловую кислоту и презервативы. Заведующая аптекой — величественная гречанка с величественной башнеобразной прической — минеральную воду «Боржоми» и «Ессентуки» выдавала только по рецептам, причем запас воды хранила в своем кабинете.

Конечно же, голода не было, и никто не голодал. Тогда даже шутка ходила: «Все жалуются на отсутствие продуктов в магазинах, а придешь в гости — стол ломится». Но именно об этом — о дефиците всего и вся — все только и говорили. И больше всего — об отсутствии мяса.

Мясо, мясо, черт возьми, мясо!..

Казалось, пропав с прилавков, оно заняло место в нашей душе, место, которое предназначалось для чего-то иного, гораздо более важного, что не выводится из организма человека в процессе дефекации...

Моя бабушка и мой отец пережили страшный белорусский и страшный украинский голод, а мать, пережившая три великих голода, вспоминала, как мимо ее родного Саратова в сторону Каспийского моря медленно шли плоты, заваленные телами умерших от бесхлебья.

«Мы мечтали о хлебе, — говорила мать, — и это было нормально, непозорно, потому что мы хотели жить. А сейчас, когда все мечтают о мясе, меня мутит от стыда».

Наша газета изо дня в день писала обо всех фабриках и заводах района, но про мясокомбинат — раза два-три в год. «Они там, конечно, победители соцсоревнования, — говорил главный редактор, — но мяса-то в магазинах нет. Не дразните людей. Лучше не надо употреблять лишний раз этих слов — мясо и колбаса».

Милиция то и дело устраивала засады у мясокомбината, ловила воров, тащивших мясо, но остановить этот процесс было невозможно, потому что невозможно ни за что.

Мой университетский друг, служивший в то время следователем военной прокуратуры, однажды рассказал о краже крупнокалиберного пулемета из воинской части под Калининградом. Солдат, охранявший технику (оружие сняли с бронетранспортера), на допросах говорил одно и то же: «Мне сказали, чтоб следил за брезентом. Брезент — да, это понятно, брезент могут украсть, потому что это вещь, а пулемет — кому он на хер нужен?» Пулемет, однако, так и не нашли.

Когда на разного рода совещаниях приводились факты и цифры, свидетельствовавшие о поистине вселенских масштабах мелких хищений в районе, области, в стране, никто не удивлялся. Люди в зале подремывали. Воровство стало основой советского общественного договора, негласного договора между властью и людьми. Власть была не в силах противостоять массовому воровству и, в сущности, смирилась с этим, позволяя людям удовлетворять свои потребности в обход закона ради сохранения той фикции, которая называлась социализмом.

Однажды мне приснился сон о воровстве, и в этом сне кто-то бормотал: «У советской власти украли страну — все эти заводы, колхозы, университеты, школы, библиотеки, больницы, кладбища, железные дороги, тепловозы, танки, автобусы, велосипеды, корабли, единственный авианосец — и тот украли. Людей украли — уже давно здесь живут не советские люди, а одни воры, выдающие себя за советских людей. Реки, леса, моря, даже крымскую луну украли. Шум балтийских волн и запах сосен стырили. Помнишь глиняную свистульку, которую ты выменял на отцовский складной нож? Так вот, и свистульку, и нож, и отца твоего, и даже ремень, которым он тебя тогда отлупил, тоже украли. Красть больше нечего, кроме территории. Но и ее выносят в карманах, тащат мешками, вывозят самосвалами, скоро и территории не останется. Вообще ничего не останется, кроме карты СССР. Центральный комитет партии, правительство, аптека номер два и карта СССР готовятся к эвакуации на Лапуту, чтобы продолжить работу по организации продолжения работы с целью углубления, повышения, усиления и улучшения...»

Я любил Свифта и перечитывал его каждый год, но когда попытался превратить сон в рассказ, ничего у меня не вышло: сатирического дара я был лишен начисто.

Вечерами я отстукивал диплом на пишущей машинке «Москва», принесенной из редакции, пока у меня не распухали суставы пальцев, ночью мы по очереди вставали к беспокойному ребенку, в четыре-пять засыпали, если не мешали штурмовые вертолеты, которые по ночам грохотали над крышами — перебазировались в Афганистан, а в восемь я вскакивал, чтобы позавтракать, выпить чаю покрепче и бежать на работу. На весь день уезжал в колхозы-совхозы или сидел днями на партконференциях и пленумах. Лихорадочно отписывался, сдавал текст в секретариат, потом брался за диплом, потом снова...

И я еще успевал записывать в тетрадях какие-то сюжеты, читать Данте, и мы с Леной почти каждый день гуляли под тополями с коляской, в которой спал наш сын.

Это были прекрасные дни любви, покоя и радости.

Осенью меня вызвали в обком и предложили пост главного редактора газеты в самом глухом районе области, на границе с Литвой, куда все отказывались ехать. Я был счастлив: это была перемена участи, о которой я так давно мечтал.

На бюро обкома спросили:

— А не пугает отдаленность района? Далеко ведь от Калининграда...

— Ближе к Москве, — ответил я.

Первый секретарь рассмеялся, остальные подхватили.

Тем же вечером я отправился на автовокзал, купил билет, перекусил в кафе, спустился в туалет. Двое мальчишек лет шести-семи развлекались у писсуаров, с веселым криком мочась друг на дружку. Внутреннюю сторону двери в кабинке, исписанную вкривь и вкось, украшало стихотворение:

Вы, сортирные писаки,
Не кичитеся умом.
Ваши головы, как сраки,
Переполнены говном.

Через полчаса я уехал к новому месту работы.

Мой друг Алик вскоре женился на женщине с ребенком, через год у них родился мальчик. Жена его — она работала бухгалтером в том же колхозе — вскоре попалась на воровстве, села в тюрьму, и Алику пришлось в одиночку воспитывать детей. Отцом он оказался суровым: «Меня отец тоже бил — и ничего, вырос». Вернувшаяся из тюрьмы жена вставила зубы и загуляла. На автобусной остановке в колхозе крупными буквами было написано: «Катька — блядь», и все знали, о какой Катьке идет речь. Старший мальчик поступил в мореходную школу, года два жил с сорокалетней преподавательницей, а когда она бросила его, повесился. Младшего отдали в школу-интернат для олигофренов. Алика сняли с должности секретаря парткома, и он стал пастухом. Люся, заведующая терапевтическим отделением, вышла замуж и родила девочку, которую назвала в память о подруге Элеонорой, Элей. Михаил Андреевич Суздалев получил предпенсионное повышение: его назначили начальником областного управления по охране государственных тайн в печати. Он сидел в своем небольшом полутемном кабинете и беспрестанно курил, злобно поглядывая на стопки официальных бумаг с грифами «секретно»: правила цензуры менялись чуть не каждый день, система стремительно разваливалась, журналисты утратили *вкус к повиновению,* и никто не знал, что с этим делать. Эдик пережил советскую власть, пережил Ельцина и умер от рака в тот день, когда террористы захватили бесланскую школу.

Глава 7. Формы движения

Члены бюро моего нового райкома разглядывали меня с веселым недоумением: борода, очки, двадцать девять лет — черт-те что, а не главный редактор.

— Рыбак? Охотник?

— Нет.

— Значит, работать приехал, — задумчиво сказал первый секретарь. — Ну-ну.

Здесь была отличная рыбалка, на которую весной съезжались со всей Прибалтики, и охота: леса и болота занимали четыре пятых территории района.

В соответствии с ритуалом на следующий день меня утвердили в новой должности на районной партконференции. Проблем никаких не возникло. Люди поднимали брови, когда узнавали о возрасте нового главного редактора, но голосовали, разумеется, единогласно.

Проблемы начались потом.

Редакция занимала трехэтажный немецкий особняк: узкие лестницы, раздвижные двери, большие комнаты и крохотные закутки, своя кочегарка в подвале. На первом этаже находилась типография. Газета попала в программу «районный офсет», и это было мучением. Здесь выполнялась часть операций вплоть до оттиска на пленке, а вот ее нужно было везти в Советск (Тильзит), за 50 километров, потому что печатные офсетные машины стояли там. Здесь оборудование было разболтано: линотип дрожал, то и дело выходил из строя, плоскопечатная машина ходила ходуном, и оттиски приходилось делать по десять раз, кассы с шрифтами — ну в них, кажется, только не срали. Всюду промасленные тряпки, остатки еды, черт знает что.

Старший — он же метранпаж — литовец по фамилии Шварцас с интеллигентным хитрованским лицом, пьяница. Иногда к нему заходил отец, они выпивали, и как-то старший Шварцас пустился в воспоминания о детстве, о последних днях июня 1941 года, когда «вот тут, на площади», сидел на толстожопом коне полицейский, который регулировал движение воинских колонн. «А куда они шли, эти колонны?» — спросил я небрежным тоном. Пьяненький мужчина махнул рукой в сторону Литвы. Сын дернул его за рукав. Я сделал вид, что не придал этому никакого значения. Они принадлежали к тем немногим немецким семьям, которым удалось увернуться от принудительной эвакуации в Германию, остаться в Восточной Пруссии и выжить при советской власти, сменив немецкую фамилию Шварц на литовскую Шварцас.

Линотипистка — когда она валялась пьяная в канаве, мальчишки соревновались, кто попадет репьем в ее трусы. Наборщица — тонкое красивое создание, когда ее муж пропал, она две недели ходила по гадалкам и ворожеям, пока одна из них не велела обратиться в милицию; мужа нашли утонувшим по пьяни в старом шлюзе.

Редакция произвела примерно такое же впечатление.

Заместитель главного редактора — лет на пятнадцать старше меня, но выглядел мальчиком, челка до бровей, школу и высшую партшколу окончил заочно, еле-еле умел связать слова в предложения, после обеда спал в своем кабинете — храп был слышен с улицы.

Ответственный секретарь — на двадцать лет старше меня, работал главным редактором в соседнем районе, но был снят с должности за беспримерное пьянство.

Старик-корреспондент с негнущейся ногой пил и приносил мне стихи и рассказы своего лучшего друга — спившегося кочегара, бывшего ответсека. Время от времени кочегар являлся в мой кабинет из подвала — в грязном ватнике, шапке-ушанке, в сопровождении собак, которые согревали его по ночам, когда он заваливался спать на куче угля. Старик печатал кочегара — гонорар пропивали вместе.

Две корреспондентки, как вскоре выяснилось, были больны. Юная красавица с пунцовыми щеками и роскошной косой, задержавшаяся в отпуске почти на три месяца, привезла медсправку со штампом «Для девочек» (такие давали школьницам в период менструации). Потом она стала рассказывать всем, что я ее преследую в виде черного кота и подсыпаю яд в горшки с цветами, стоявшие в ее спальне. Но уволилась она сама, без скандала.

Зато с другой дамой, которая писала письма во все инстанции, сообщая, как я по ночам топором рублю дверь ее дома, а она заслуженная ветеранша правозащитного движения, отсидевшая полжизни в узбекских зинданах, — вот с ней пришлось помучиться. Суд дважды восстанавливал ее на работе. Она четко выговаривала *«пожайлуста»*, приседала при встрече со мной в книксене и почти совсем не умела писать.

Ну и бухгалтерша, куда ж без нее: красивая кривоногая дама, обожавшая своих двоих детей до слез, презиравшая мужа-шоферюгу, писавшая стихи без рифмы километрами и однажды сбежавшая из областной больницы, где у нее выкачивали гной из легких, к любовнику в какой-то район, в деревню, ее нашли, вернули со скандалом, и с той поры она притихла: в городе она не нашла бы другой работы.

Завотделом сельского хозяйства — сухонький пожилой мужчина, молотивший на пишущей машинке тысячи строк без устали. Его знал весь район, и он всех знал. В доме пионеров вел несколько кружков, обожал юных девочек, которым дарил цветы, но стоило им выйти замуж, и они переставали для него существовать. Панически боялся врачей. Лечился хозяйственным мылом (мыльной водой полоскал горло), а когда болел зуб, привязывал к нему нитку, другой конец нитки — к водопроводному крану, пускал воду, дергал и падал лицом в раковину, под струю ледяной воды. Он был главной рабочей лошадью редакции — на него можно было положиться. И на заведующую отделом писем, обстоятельную литовку, — тоже. И на фотокора Володю Гельмана, веселого и циничного раздолбая, хорошо знавшего свое дело и при этом — хорошего рассказчика. В юности он с кинопередвижкой объездил все литовское приграничье, крутил кино в сельских клубах, куда иной раз залетала и осколочная граната от «зеленых братьев», снимал стресс водкой в кантинах, оставшихся от немцев, и знал район назубок.

Шофером был Афоня — бывший солист ансамбля песни и пляски МВД, изгнанный за безмерное блядство, ловкий и неглупый парень. Однажды его на месяц забрали на переподготовку военнообязанных, в «партизаны», и он умудрился ночью приехать со службы на огромном военном «Урале», чтобы слить из его баков в наши бочки двести литров бензина: горючее тогда было дефицитом, нам то и дело приходилось выпрашивать бензин в совхозах.

Главной проблемой был не профессиональный уровень моих новых подчиненных, даже не пьянство, а невозможность заменить этих людей: население райцентра — чуть больше трех тысяч человек, района — одиннадцать тысяч, причем среди них немало «карагандинских» литовцев (бывших «зеленых братьев»), которым было запрещено постоянное проживание в Литовской ССР. Промышленностью тут считались сырзавод, мастерские сельхозтехники и леспромхоз. Не было военных — а среди их жен всегда можно найти пишущую даму. Когда я попал на первый райпартхозактив, сердце екнуло: один инвалид, второй, третий... Завотделом райкома протянул руку — сросшиеся пальцы, рожа багровая с перепоя (потом его выгонят: надрался и на клумбе перед райкомом — на центральной площади — оттрахал уборщицу). Среди руководителей немало «подвешенных»: один 31 декабря сбил городскую елку на «уазике», из которого вывалились две голые бабы, несколько банок консервов и бутылок, другой врезался в столб у госбанка, третий както проворовался, четвертый, пятый...

Сюда не попадали даже перелетные журналюги, которые были привычным явлением в других районных газетах — бродили из редакции в редакцию, из района в район, нигде подолгу не задерживаясь. Это были люди сплошь пьющие, но среди них изредка встречались настоящие профессионалы. Я знал одного такого. Его звали Арсеном, когдато он был собкором московских газет, публиковал очерки в толстых журналах, издал книгу недурных рассказов, но в пьяном угаре мог нахамить любому начальству, газетному или партийному, а потому вскоре его увольняли «по собственному». Но тогда я мечтал об Арсене, который мог в одиночку заткнуть все дыры в газете. Позвонил ему и услышал:

«Старик, в твоей деревне даже умирать неприлично».

Однажды я стоял у окна в своем кабинете на втором этаже и с тоской взирал на книжный магазин напротив. На двери его было написано «Ценность книги ничем не измерить, книга в мир открывает двери», а ниже табличка с надписью «Закрывайте двери!». В день «привоза» в магазине было не протолкнуться — сметали с полок все без разбора, что Фолкнера, что Фадеева, потом ставили дома в шкаф и не читали, конечно. Впрочем, я привык обходиться городской библиотекой — тут она была очень неплохой. Справа от книжного магазина — кинотеатр: на три ряда кресел в середине зала билеты там не продавали — в любую минуту на людей могла обрушиться потолочная балка. Рядом, на почте, висел лозунг — «За связь без брака!».

На тротуаре показалась женщина. Квадратная фигура, без шеи, сапоги полурасстегнуты — молнии не сходятся на толстых ногах, громадная лисья шапка, в руках — два ведра, накрытые крышками. Она была низенькой, а весила — на глаз — килограммов полтораста.

— Это директриса средней школы, жена нашего первого секретаря, — сказал за моей спиной ядовитый Володя Гельман. — А несет она ведра с помоями для свиней. Все скандалы в школе — из-за помоев. Директрисе даже пришлось составить график, который висит в ее кабинете: чья сегодня очередь брать отходы из школьной столовой — учительницы литературы или учителя математики. Сегодня, как видите, очередь самой директрисы.

Людей, способных к журналистике, в школе я не нашел.

И все равно — здесь, в этом городке, мне было интересно.

Мой предшественник был партийным работником, который до того никогда в газетах не работал. Он был хорошим начальником, руководителем, требовал, чтобы подчиненные вовремя приходили на работу и вовремя сдавали тексты, но он был никудышным главным редактором: газета была из рук вон. Оформление полос, качество текстов, способы их подачи — в этом он не разбирался совсем, да и, похоже, не придавал этому никакого значения. А я за восемь лет в районке перепробовал все: прошел через все отделы, часто заменял корректора, ответственного секретаря и главного редактора, знал, чем бабашки отличаются от бабешек, мог на глаз с точностью до пункта мгновенно определить кегль любого шрифта или ширину наборной строки в квадратах — без строкомера, при помощи резака подгонял по размеру металлические клише и помогал женщинам из типографии устанавливать рамы с набором на талер печатной машины.

У Верочки, ответственного секретаря «Знамени Ильича», был неплохой вкус, было чувство стиля, а главный редактор считал обязательным участие редакции в областных, всероссийских и всесоюзных соревнованиях за лучшее оформление газеты, за лучшее освещение той или иной темы. Его кабинет был увешан дипломами и грамотами, полученными за победы в этих конкурсах.

Здесь, на новом месте, я столкнулся с тем, что заголовок запросто могли набрать каким-нибудь ветхозаветным «елизаветинским» шрифтом, интересную тему — убить убогой подачей, а об участии в конкурсах сотрудники даже не помышляли.

Я не придумывал ничего нового — я делал только то, чему научился у Верочки, Макарыча и Эдика. Благодаря «гамбургской» верстке, которая тогда была в моде, новым шрифтам и плашкам-выворот-кам облик газеты изменился.

По вечерам мы с ответственным секретарем вооружались ножницами и готовили альбомы для участия в конкурсах. Секретарша Шурочка то и дело заглядывала в мой кабинет, чтобы посмотреть на взрослых людей, которые ползали на коленях по полу, заваленному газетными вырезками. Уже через несколько месяцев — к изумлению сотрудников редакции и райкома партии — газета стала получать дипломы и грамоты.

А вскоре я стал увольнять пьющих сотрудников. Их места занимали новые люди — заведующая клубом из пригородного совхоза, молодой учитель из школы, стоявшей на границе с Литвой, инспекторша из райисполкома, которой наскучила возня с финансовыми бумагами.

Эту инспекторшу райфинотдела по фамилии Мишанина — все называли ее Мишей — я часто встречал в городе. Рослая, яркая, грудастая, длинноногая, в распахнутом пальто с фантастическим лисьим воротником, концы которого ниспадали чуть не до земли, всегда на высоких каблуках, всегда в юбочке шириной с мужской галстук, она смотрела на всех свысока, а красивое, хотя и чуть обрюзгшее лицо ее выражало только скуку, вселенскую скуку.

Муж ее был красавцем-шофером, предпочитавшим бесхитростные развлечения вроде рыбалки, охоты и выпивки, но запойным он не был. Их сын носил русые локоны до плеч — неуклюжие деревенские девчонки провожали его растерянно-восхищенными взглядами.

Познакомился я с Мишей на грибоварном пункте. Такие пункты — лесные хутора, на которых грибы мыли-солили-мариновали и закатывали в трехлитровые стеклянные банки, — были разбросаны по всему району. Иногда я покупал там банку-другую грибов, из которых жена варила замечательный суп.

Хозяйка пункта оказалась Мишиной подругой. Когда я вошел в комнату, женщины уже допили бутылку водки и откупоривали другую. В доме было жарко натоплено. Обе женщины были облачены в мужские рубашки, расстегнутые до пупа, и больше на них, похоже, ничего не было. Миша закинула ногу на ногу и выпрямилась, чтобы я мог хорошенько разглядеть и оценить ее породистое тело. Хозяйке понадобилось во двор, и Миша, глядя на меня блестящими зелеными глазами, стала рассказывать о себе.

Она была родом из Ленинграда, окончила финансовый институт, по распределению приехала сюда, влюбилась, вышла замуж, родила — и заскучала. Маленький город, одни и те же лица, никаких развлечений, никакого разнообразия. Разве что секс, сказала она. Муж придумал фокус. Четыре чайных блюдца, сказала она. Она становилась на четвереньки — коленями и руками на чайные блюдца, муж пристраивался сзади. При каждом его движении блюдца начинали скользить по паркету, муж хватал Мишу за бедра и возвращал на место. Если не успевал, она ударялась лбом в подоконник.

— Иногда — ничего, в кайф, — сказала Миша, затягиваясь сигаретой и не спуская с меня взгляда. — Но — надоело.

— А что надоело-то? — спросил я. — Поза? Блюдца? Подоконник?

— Паркет, — ответила Миша. — Чтобы блюдца хорошо скользили, паркет надо навощить и отполировать. Пока *навощишь* и отполируешь, семь потов сойдет, и уже не до секса. Чертов паркет!

Слово «навощишь» она выговорила с особой какой-то тщательностью и нескрываемой ненавистью, даже с гадливостью.

Вдруг сменила тему — стала расспрашивать о газете.

Вернулась хозяйка. Мы выпили еще по рюмке, я расплатился за грибы и уехал.

А на следующий день Миша пришла в редакцию и попросила взять ее в штат.

Мне с трудом удалось удержаться от смеха.

— А вы к этому готовы? — спросил я.

— Если теперь, — сказала она, — так, значит, не потом; если не потом, так, значит, теперь; если не теперь, то все равно когда-нибудь; готовность — это все.

Встретить в захолустном городке женщину *падшего* типа, которая цитирует Шекспира, — это, конечно, случай из ряда вон. Разумеется, я тотчас сдался. Предложил ей что-нибудь написать, рассказал, что нужно газете. Она внимательно выслушала, кивнула и вышла. Через два дня принесла зарисовку о доярке, матери-героине. Это был живой текст, написанный не просто грамотно, а почти блестяще. Я уговорил Мишино начальство отпустить ее, и вскоре, черт возьми, эта фифа стала звездой. Ей было интересно мотаться по совхозам, разговаривать с людьми и писать о них. Через год Миша стала лауреатом всесоюзного журналистского конкурса. Она по-прежнему броско одевалась, по-прежнему смотрела на всех свысока, но скука перестала терзать ее, и больше она никогда не рассказывала мне о своих сексуальных утехах.

Когда стало известно о моем переводе на другую работу, мы в редакции устроили вечеринку. Потом спустились на улицу, стали прощаться, и Миша вдруг обняла меня, поцеловала, быстро проведя языком по моим губам, и прошептала: «Вы были неважным начальником, но очень хорошим редактором».

Никто этого ее языка, слава богу, не заметил.

Года через два она развелась с мужем и уехала с сыном в Ленинград.

Здесь не было государственной торговли, а в потребкооперации цены стояли — не подступиться. Приходилось ездить за продуктами в Литву. Но они там были, эти продукты, даже живая рыба была в сельских лавках. В субботу в редакционную машину набивались желающие, и мы отправлялись в Шакяй, Юрбаркас или Гелгаудишкис, откуда возвращались с тяжелыми сумками, набитыми мясом, сыром, маслом.

Вскоре меня сделали полноправным членом бюро райкома, и я стал участвовать в приеме людей в КПСС. Эти люди сеяли, пахали, учили детей, строили, смотрели телевизор, стояли в очередях. Тем, кто заочно учился в техникумах или институтах, хотелось «расти»: вступление в партию было для них важным карьерным шагом. Рабочих же уговаривали, брали измором, потому что считалось, что КПСС — партия прежде всего рабочих и для рабочих. Это были нормальные люди, часто — хорошие люди, и членство в партии никак не влияло на их качества и никак этих людей не меняло. Идеология была вообще на втором или даже третьем месте. Партия боролась за повышение благосостояния народа, производительности труда и т. п., то есть решала задачи не политические, а скорее — профсоюзные. Да и все советское давным-давно не воспринималось как идеологическое — разве что при сравнениях с Западом.

Кроме того, члена КПСС защищали до последнего в любой передряге, а если он попадал под суд, то судили не коммуниста — беспартийного. Первый секретарь в таких случаях звонил судье: «Безнадежно?» — «Да». Первый звонил секретарю парторганизации, в которой состоял подсудимый: исключайте. Исключали, даже если приходилось это делать глубокой ночью. Вот поэтому ни одного члена КПСС под судом никогда и не было.

Помню, как на бюро принимали в партию кавказца — шофера из птицесовхоза. Секретарь парткома доложила, задали вопросы претенденту, потом первый секретарь попросил его на минутку выйти. А когда парень вышел, первый обрушился на секретаря парткома: «Сколько вам говорить, чтоб не принимали *этих!* Он же через полгода-год подаст заявление по собственному и отправится в школу милиции! В ихнем Азербайджане в школу милиции не попасть даже за миллион, вот они и разъезжаются по всему Союзу. Или вы об этом впервые слышите?»

Это был период, который назвали «пятилеткой в три гроба». Когда умер Брежнев, я проводил траурный митинг в колхозе и помню, как некоторые женщины плакали: «Что будет-то? А вдруг война?» Смерть Андропова уже не вызвала таких переживаний, а когда умер Черненко, сверху спустили устную директиву: *«С народным горем не пережимать»*.

И именно тогда, в промежутке между смертями Брежнева и Андропова, в стране, в сознании людей что-то стало меняться, что-то стронулось и двинулось — так тихо, так неощутимо, что этого поначалу, кажется, никто и не заметил. Как будто уровень исторической радиации в организме России достиг такого значения, когда люди начинают чувствовать себя не в своей тарелке, раздражаются, не понимая, что с ними происходит, но сознавая: что-то не так, надо действовать, делать хоть что-нибудь, хотя бы просто — двигаться, двигаться, двигаться.

То было время двоемыслия, цинизма и лицемерия (тогда говорили, что цинизмом называется эпоха перехода от социализма к коммунизму), время застоя, и вот это слово — «застой» — часто и сегодня сбивает с толку, приводя к ложным выводам и оценкам. Однако безвременье — это не смерть истории, не остановка, это просто *иное время,* другое качество времени, и застой, как бы парадоксально и комично это ни звучало, был формой движения: история ведь не останавливается ни на миг. И что-то непрерывно, беспрестанно шевелилось, двигалось в русской душе, в душах людей, которые безотчетно мечтали о воссоединении с историей, даже не предполагая тогда, даже не предчувствуя, какую цену за это придется заплатить...

Осенью я впервые в жизни оказался на трибуне во время октябрьской демонстрации. Взял с собой сына. Народу на центральной площади — а это огромное асфальтовое поле — собралось немного.

Играет оркестр, народ идет, флажками машет. Некоторые успели поддать. Бросилась в глаза молодая модница — лисий воротник до колен, синее бархатное пальто и белые кроссовки (в магазине на витрине было написано «красовки» — красота же!). Она, видать, крепко тяпнула — кричала громче всех.

С трибуны неслись призывы: про нерушимое единство коммунистов и беспартийных, про победу коммунизма и т. п. Выкрикивала их по бумажке звонким голосом красавица Тамара, секретарь райкома по идеологии. Я поставил сына на парапет, он стал махать руками, словно дирижируя демонстрацией. Тамара кричала — народ кричал в ответ «ура». Сын вдруг показал рукой: смотри. Что за черт? Та же бабенка с лисой, в кроссовках. Присмотрелся. Колонна демонстрантов проходит площадь до конца, разворачивается — и назад, а потом снова проходит перед трибуной. И сколько ж они так ходить будут? Меня разбирал смех.

После демонстрации спросил у Тамары, на хрена это хождение по площади?

— У меня на бумажке, — ответила она, — тридцать лозунгов, тридцать криков. Каждый крик утвержден на бюро райкома. Выполняя решение бюро, я должна тридцать раз крикнуть про единение и победу коммунизма, и пока я тридцать криков не зачитаю, люди должны ходить. Понимаешь? Людей мало — а криков много, вот и приходится демонстрацию три-четыре раза по площади прогонять. За это время я как раз и успеваю весь список прокричать. Херня, конечно, полная, но для здоровья полезно — по холодку прогуляться...

Поздней осенью меня назначили ответственным за проведение выборов в самом крупном сельсовете района. Выборы проводились сразу в Верховный Совет, в областной, районный и сельский: экономно.

Выехал я на место часов в пять утра — по первому снегу. В шесть открылись избирательные участки, и народ хлынул. Первыми, как всегда, — десяток стариков-ветеранов с орденами-медалями (за родину, за Сталина), а затем — доярки-свинарки-телятницы. У них начиналась смена на фермах, и вот их автобусом по пути на работу завозили на участок. Тетки быстренько кидали бюллетени куда надо и бежали в буфет: в такие дни там продавали дефицит — колбасу, конфеты в коробках и т. п.

Каждые полчаса звонил инструктор райкома — он называл себя «специалистом по спариванию партии и народа» — и спрашивал: как там у вас дела? Вот, мол, другие сельсоветы голосуют так-то, отстаете...

К девяти утра проголосовало процентов 80—85 избирателей. Фермы, мехмастерские, строители, водители, учителя... А одна бригада — свиноферма —

не проголосовала. И ни слуху ни духу. Решил я туда съездить. Со мной отправился опытный в таких делах мужчинка с опечатанным ящиком для голосования: в случае чего на месте пусть голосуют.

Приехали. Поле. Ферма. Несколько домиков и сараев — никакой ограды. На первом снегу — ни следа, это в десятом часу утра.

Я вышел из машины. Окна в ближайшем доме — самом большом — заткнуты каким-то тряпьем, подушками. Из окна рядом с дверью высунулся голый мальчишка лет десяти. Вылез на коленках на широкий подоконник и помочился на снег.

— Дома кто есть? — спросил я.

Мальчишка кивнул и скрылся.

Захожу. Большое помещение затянуто паром. Полутьма. Пригляделся. На полу вдоль стен лежат какие-то люди, укрывшиеся кто пальто, кто одеялом, за столом — пяток полуголых мужиков, на плите — огромная кастрюля, от нее и валит пар.

— Начальник! — кричит какой-то мужик. — Садись с нами, позавтракаем чем бог послал!

На лацкане у меня депутатский значок — мужик сразу понял, что я начальник.

А у мужика на плече — наколки бывалого зэка (типа «СССД» — свою совесть съел с соплями в детстве).

Цыгане.

В тот день бог был добр к цыганам: он послал им на завтрак десяток «бомб» — литровых бутылок дешевого вина, хлеб и вареную свеклу, украденную с фермы.

Я им про голосование — они мне про выпить. Ну выпили по стакану. Свеклу я есть не стал, но хлеба с ними преломил. Поговорили о том о сем. Меня заинтересовало, как им удалось так расширить помещение: дом трехкомнатный, а у них вместо трех комнат — один огромный зал и кухня тут же.

— Топором, — сказал мужик. — Взяли топор и вырубили перегородки.

Оказывается, они пропили уголь, а потом использовали все деревянное в доме для печек.

— Голосовать будем? — спросил я.

— Бросай бюлетни, — великодушно разрешили цыгане. — Мы ж не против советской власти.

Опытный мужичок, который меня сопровождал, записал их ФИО и бросил бюллетени в ящик.

Когда в нашей типографии народ уходил в отпуск, нам, редакционным, приходилось выпускать газету в Советске.

Однажды заболели и шофер, и корректор, и мне пришлось ехать в Советск одному. Домой добирался на попутках, а было это 31 декабря.

Я остановил машину на окраине Советска, шофер — старик с лицом младенца — согласился меня подбросить. Потом предложил сократить путь, свернул черт знает куда, мы застряли на опушке леса, водитель наклонился к приборной доске и умер. Как потом выяснилось, у него отказало сердце.

За час до Нового года я оказался один на один с мертвецом в заснеженном лесу.

По моим прикидкам, до ближайшего жилья было километров десять. Было темно, появились волки. Я глазам своим не поверил, впервые увидев волка вблизи, в двух шагах от машины: он был раза в три больше самой крупной собаки. Волки не выли, не бросались на машину — они просто бродили вокруг, а потом и вовсе исчезли в темноте. Выходить из машины было опасно. Вдобавок — двадцатиградусный мороз: в сырой Прибалтике это похуже, чем пятидесятиградусный — в Якутии. Я понял, что Новый год придется встречать в кабине грузовика, рядом с трупом.

В сумке у меня была бутылка водки, «Опыты» Монтеня (я читал «Апологию Раймунда Сабундского», чтобы понять Гамлета), две пачки сигарет, спички и коробка шоколадных конфет. В бардачке я нашел фонарик, банку маринованных огурцов и замусоленный граненый стакан. Под ногами лежал мешок с капустой — так сказал шофер. Капуста меня не интересовала. Я поставил ноги на этот мешок — так было удобнее — и открыл книгу.

Ровно в полночь я выпил водки за здоровье своей семьи, закусил маринованным огурцом и шоколадной конфетой, включил фонарик и снова принялся за Монтеня.

Было холодно, потом стало очень холодно. Я снял с шофера ватник, обмотал им ноги, выпил еще водки, согрелся и заснул.

Очнулся я от волчьего воя.

Светила луна, было холодно.

Я стал думать о том, что это ведь неплохой сюжет: новогодняя ночь, грузовик с заглохшим мотором, мертвый шофер, его ватник, которым я обмотал свои ноги, водка, огурцы и конфеты, Раймунд Сабундский и Гамлет, волчий вой, дикая морозная пустыня... Сюжет неплохой, но о чем эта история — я придумать не мог. Ночь, Гамлет, волки... Я пытался отыскать смысл во всем этом — у меня ничего не получалось. Не получалось, и все тут. Просто — случай. Попытался развить сюжет, забыть о себе, думать о двоих в кабине — о врагах или друзьях... о любви и смерти... о преданности и мести...

Потом я допил водку и снова уснул.

Проснувшись, увидел бледное солнце над верхушками елей, выпрыгнул из кабины и двинулся по дороге, которая была едва различима под снегом.

О волках я больше не думал.

Меня бил озноб, голова болела, во рту было сухо и гадко, в желудке урчали огурцы с шоколадными конфетами, курить не хотелось.

Часа через два я добрался до лесного поселка, и после долгих уговоров меня отвезли в город. Я зашел в милицию, рассказал о мертвом шофере, а потом отправился домой.

На следующий день мы гуляли с детьми. Они катались на санках с горки, мы с женой стояли поодаль. К нам подошел начальник милиции (он был нашим соседом) и отозвал меня в сторонку. Помявшись, спросил, не рассказывал ли мне шофер перед смертью о чем-нибудь...

— Да мы даже познакомиться не успели, Виктор Федорович, — ответил я. — А когда он помер, сам понимаешь, было уже не до разговоров.

— Видишь ли... в мешке... ну в том мешке, который лежал у тебя под ногами... мы нашли в мешке три головы... отрезанные головы... две мужские и женская... а кто этот старик и чьи головы — мы пока не знаем...

Значит, в новогоднюю ночь я читал Монтеня, поставив ноги на мешок с головами, рядом с мертвым убийцей, под волчий вой, в обледеневшей кабине, попивая водку и закусывая огурцами с конфетами...

Я посмотрел на жену, на детей, катившихся на санках с горы, вздохнул и решил не рассказывать никому об этом случае. Да и о чем рассказывать, если никакого смысла в этой истории все равно нету. Сюжет есть, а смысла — нет. Бывает.

Начальник милиции — этот самый Виктор Федорович — много лет был секретарем райкома партии по идеологии. Но однажды в Москве решили всех райкомовских мужчин-идеологов заменить женщинами. По всей стране. Про Виктора Федоровича говорили: «Попал под девочек». Его назначили начальником районной милиции. На бюро райкома его напутствовали: «Ты там займись дисциплиной — совсем разболтались милиционеры».

И на следующий же день подчиненные Виктора Федоровича упустили преступника. Его нужно было доставить в Калининград — за сто семьдесят километров. Путь дальний. Преступника заковали в наручники, как полагается, а поскольку дело было зимой, два сопровождающих сержанта взяли с собой водки. Отъехали от города — выпили. Преступник стучал зубами от холода, сержанты его пожалели — дали выпить, чтобы согрелся. И понеслось. Не успели они доехать до Советска, как преступнику и сержантам захотелось отлить. Вышли и упали: выпили-то крепко. Первым встал преступник. Встал и пошел куда глаза глядят. Потом поймал попутку. Потом еще одну, третью, четвертую. Так добрался до дома в Багратионовском районе, на другом конце области. Выпил за здоровье брата, у которого был день рождения, потом родные отвезли его на большую дорогу, и оттуда он попутками же через всю область вернулся в наш город. Явился в милицию и сдался. *И только тут с него сняли наручники.*

Я смотрел на мир сотнями жадных глаз и слушал жизнь, которая перла в меня со всех сторон — шепотами и криками, всем юродством русской речи, ее диким блеском и темным бессвязным бормотанием. Мне удалось наладить работу редакции, появилось свободное время, и я с удовольствием убивал его на сочинение повести о колхозной деревне. О послевоенной калининградской деревне, когда приехавшие из России и Белоруссии люди не знали, что делать со всеми этими мелиоративными каналами, и сушили зерно на асфальтовых дорогах, и о современной деревне — какой я ее знал. Конечно же, я писал эту повесть в соответствии с главным законом, на котором стояла вся тогдашняя советская жизнь, да и литература тоже: думаю одно — говорю другое. В повести были сотни абсолютно правдивых бытовых деталей, но украшали они абсолютно лживый сюжет о председателе колхоза, который успешно поднимает умирающее хозяйство и решает попутно множество житейских проблем. Среди положительных героев — секретарь райкома партии и редактор районной газеты. Оптимистическая драма.

Дописав повесть, я отправил рукопись в областное книжное издательство и месяца через три-четыре получил положительное заключение с приложением одобрительных отзывов каких-то московских литераторов, которым посылали рукопись, чтобы их столичным авторитетом защитить дебютанта от возможных козней местных писателей (все это я узнал позднее). В заключении содержались просьбы — изменить там и переделать это, так, мелочи. Мне позвонили из издательства, и взволнованная дама сказала: «У вас светлейшее будущее, вы это понимаете? Светлейшее!»

Ну да, это я понимал. Мне было тридцать лет, я был главным редактором партийной газеты в отдаленном сельском районе, членом бюро райкома КПСС, депутатом районного Совета, председателем всяких комиссий и обществ, в том числе общества советско-польской дружбы, о чем узнал случайно, когда из райкома мне на подпись принесли ходатайство о награждении одной доярки орденом

Дружбы народов, выделенным району по разнарядке, и оказалось, что ходатайство должен подписать руководитель какого-нибудь общества дружбы с какой-нибудь приличной страной, и этим человеком оказался я.

В общем, я понимал, что публикация книги на актуальную тему не только привлечет внимание к писателю, но и поможет карьере функционера, каковым я и был тогда, конечно. А это означало, что улучшится так называемое материальное положение — в смысле квартиры и зарплаты, которой после рождения второго ребенка, дочери, жуть как не хватало.

Вдобавок у меня уже собралась немалая коллекция отказов. Я посылал свои рукописи в издательства и журналы, месяцами ждал (и не было ничего мучительнее в жизни, чем эти ожидания), получал ответы: «К сожалению, ваши рассказы...» Это было невыносимо. Всякий раз, получая отказ, я думал, что это конец, что больше я не выдержу, и душа моя наполнялась мерзкой тьмой.

И вот все изменилось.

Я был доволен собой. Я упивался собой. Как же я был тогда хорош, умен, талантлив и красив. Высок, светлоок и могуч. Мне, конечно, хватало ума, такта и вкуса, чтобы скрывать нимб под дешевой серой кепкой с наушниками, а крылья — о, эти золотые огромные крылья — я распахивал только по ночам, когда можно было вольно летать над мирно спавшим городком, раскинувшимся на берегу Шешупе, и видеть пылающими своими очами чудеса миров дольнего и горнего, и возвращаться в мягкую постель, в которую только что пописала крошечная дочка, и складывать натруженные крылья, чтобы успокоиться сладким сном. Мир, конечно, ничего не подозревал пока о скором моем явлении — среди молний, под раскаты грома, с благостыней в руке — книгой о колхозной деревне.

В начале лета Лена с детьми уехала к своей матери.

Мне прислали гранки из издательства, и, оставшись один, я сел за стол, чтобы поработать с замечаниями, присланными издательством, устранить то и улучшить это.

Я еще раз перечитал повесть.

Потом еще раз.

Третьего раза не потребовалось — я и без того уже все понял.

Выглянул в окно: закатное небо было черным и багровым.

Не знаю, как на самом деле выглядят врата ада, но они распахнулись предо мной — с тяжким стоном, надсадным скрежетом, с бесовским визгом, выматывающим душу. Огромные створки из ржавого железа, покрытого грубой пупырчатой ржавчиной, потеками засохшего дерьма и крови, какой-то мерзкой зеленью, трещинами и кое-где — седым мхом. Они медленно разошлись, эти жуткие врата, и я увидел среди адского пламени — себя над рукописью, над этими пустыми словами, над этой пустой и лживой жизнью, которую я с таким энтузиазмом запечатлел на бумаге, и я скорчился от невыносимого стыда, такого болезненного, такого всепроникающего, что сполз со стула, лег на пол и замычал, замычал... Мне казалось, что я с ног до головы покрываюсь волдырями, струпьями, какой-то липкой гадостью и превращаюсь в омерзительное животное...

Дождавшись темноты, я сложил в сумку все экземпляры рукописи, гранки, заготовки новой повести, сунул в карман четвертинку водки, пачку сигарет и спустился во двор.

Идти пришлось недалеко: мы жили на окраине городка, ежи из ближайшего леса приходили к нашему крыльцу, и дети кормили их яблоками и капустой.

На лесной опушке я развел костер, присел на корточки, выпил водки, закурил.

Бумага превращалась в пепел.

Мне ничего не было жаль: все те находки, которые встречались в рукописи, хранились в памяти. Все эти детали. Впервые я подумал о том, что в деталях не только дьявол, но и Бог, и вот это-то я и упустил. А Бог — это когда можно, но нельзя, как говорила моя бабушка. Я думал о том, что эта повесть — как ни крути — результат насилия над собой, над воображением. Меня еще в университете раздражали споры о том, что первично — содержание или форма. Об этом, казалось мне, могут спорить только люди, лишенные подлинного таланта, званые, но не избранные, люди вроде Сьюзен

Зонтаг, которая ставила своей целью «отстаивание моральных претензий в ущерб эстетике», люди, забывшие о том, что «через искусство возникает то, форма чего находится *в душе*», как говорил Аристотель. Ответом всем этим людям может служить Первое послание коринфянам — то прекрасное, форма чего находится в душе. А я — я поддался темному очарованию лжи и насилия, и теперь сидел на опушке у костра, думая о том, что отныне у меня не остается ничего, кроме свободы. Я еще не знал, как ею распорядиться, понимая, однако, что свобода вовсе не какая-то самостоятельная, самодостаточная ценность — но лишь средство для достижения цели. А цель бессмысленна вне идеала. Настоящий же писатель, вообще художник, думал я, он как кошка, которую как ни кинь, она всегда опускается на свои четыре: как бы ни относился художник к идеалу, как бы ни противен был ему пафос, обволакивающий это понятие, рано или поздно он упадет на «свои четыре» и окажется один на один с идеалом. Человек знает, чего он хочет, но редко сознает, чего он хочет на самом деле. Отныне, думал я, всякий раз, принимаясь за дело, я должен понимать, действительно ли это дело — мое, мои ли это *лиарды*. Чтобы кто-нибудь через годы мог сказать: «Настоящее имя этого автора — название его книги». Неважно, был Шекспир или нет, важно, что есть «Гамлет». Настоящее имя Гоголя — «Мертвые души». Nihil. Высшее счастье писателя — перестать после смерти быть человеком, но стать землей, черной землей.

Выпив еще водки, я снова подумал о Гоголе, который сжег второй том «Мертвых душ», и вдруг меня пробрал смех. Моя повесть не была вторым томом «Мертвых душ», вот в чем дело, а потому сожжение рукописей и гранок было актом вовсе не трагическим, даже не драматическим, а скорее — гигиеническим, поэтому и гордиться тут нечем. Никто же не гордится тем, что по утрам он чистит зубы, а перед едой моет руки. Эта простая мысль окончательно успокоила меня, я допил водку и побрел домой, напевая под нос: «Зайд умшлюнген, миллионен...» Черт возьми, я начинал понимать, почему Шиллер назвал свою песнь о мечте «Одой к радости».

На следующий день, в воскресенье, я начал отстукивать на машинке рассказ о Веселой Гертруде, чувствуя себя при этом человеком, который всю жизнь мечтал побродить средь бела дня по улицам без штанов и вот наконец осуществил свою мечту.

В августе мне позвонили из обкома партии и сказали, что вопрос о моем переводе в Калининград решен. Инструктор сектора печати, радио и телевидения в обкоме КПСС — так будет называться моя новая должность.

— Это не навечно, — с усмешкой уточнил заведующий сектором. — Обычно у нас год присматриваются к человеку, год решают, куда бы его пристроить, и год тратят на то, чтобы выгнать его из обкома. Приживаются здесь настоящие аппаратчики, а ты, конечно же, никакой не аппаратчик.

Через месяц на бюро обкома партии меня утвердили в новой должности, выделили кабинетик с сейфом и окном, выходившим в старый сад. В сейфе я нашел стоптанные туфли предшественника, початую бутылку спирта и кучу документов с грифами «для служебного пользования» и «секретно». Поселили меня в гостинице, располагавшейся на верхнем этаже дома политпросвещения, на улице Кирова, где еще сохранилась немецкая брусчатка.

— Квартира будет выделена в течение нескольких месяцев, — сказали мне в финхозотделе. — Обкомам давно запретили собственное строительство, мы — дольщики, так что ждите.

Калининградский обком численно был гораздо меньше любого московского райкома — всего около восьмидесяти ответственных работников. Обком пополам с облисполкомом занимал внушительное здание бывшего имперского земельного банка Восточной Пруссии.

К тому времени ответработники были лишены пайков — ну за исключением, разумеется, заведующих отделами и секретарей. Нашему сектору было доверено командовать книжным киоском, но командовать было, в общем, нечем: любой посетитель мог купить здесь любую книгу. Секретари и заведующие и тут были на особом счету: заведующие получали через киоск хорошие книги, некоторые звонили мне и просили объяснить, стоит ли брать «этого...

ну Фолнера... Фолкнера, как его...», а секретари получали посылки прямиком из Книжной экспедиции ЦК КПСС. Примерно так же было и с продуктами. Я уже на второй день понял, что покупать курицу с наценкой в обкомовском буфете слишком накладно, проще в гастрономе. Но обеды в обкомовской столовке были дешевы и вкусны. Сидевший напротив за столом профессор Гострем всякий раз, когда я брал рыбу, говорил, что балтийскую рыбу есть нельзя, и объяснял, каким образом в «этой луже» (Балтийском море) скапливаются отходы, которые из-за датских проливов не уходят в океан, а циркулируют здесь, отравляя все и вся.

Вскоре выпала моя очередь дежурить по обкому.

Заведующий общим сектором общего отдела по имени Слава занялся инструктажем. Дежурить предстояло с семи вечера до семи утра в приемной первого секретаря. Слева на консоли девять телефонов: три верхних с гербами — ВЧ (прямая связь с ЦК, Совмином и КГБ СССР), второй ряд — три «двойки» (в Москве их называли «кремлевками»), нижний ряд — три городских, один из них указан в телефонном справочнике. Журналы регистрации сообщений, дежурств и т. д. И ключи от сейфа («Ради них и дежуришь!»): от верхнего отсека, где находились пластиковые конверты с половиной инструкции на случай чрезвычайной ситуации и ножницами, и от нижнего отсека, где находились такие же конверты со второй половиной инструкции. В случае чрезвычайной ситуации следовало ножницами взрезать конверты, соединить бумаги и начинать обзвон: кого куда эвакуировать и т. п.

У этого заведующего общим сектором под мышкой была кобура с пистолетом Коровина: он ведал криптотехникой, об этом знали все, но вслух — ни-ни.

Ночью было несколько звонков: затопило цех завода, сбежал срочник из погранполка и т. п. Сначала я нервничал, потом захотелось спать. Но не заснешь: каждые полчаса на всех этажах начинали бить немецкие напольные часы. Под утро пришли электрики, которые отрегулировали свет в кабинете первого, потом уборщицы, помощники первого, сам.

К тому времени первым был уже Дмитрий Васильевич Р., которого, в отличие от его предшественника-тирана, все уважали: он и порыбачил по океанам, и двадцать лет возглавлял горком КПСС, прославившись на весь Союз тем, что за все эти годы ни разу в своих докладах и выступлениях не процитировал Брежнева. Ему спичрайтеры вписывали — он вычеркивал. Мелочь, конечно. Мы посмеивались, читая его резолюции: «Полагал бы согласиться». Не любил категорических «согласен», «не согласен».

А вот его предшественник был другим человеком — о нем вспоминали как о грубом и даже жестоком руководителе. Николай Семенович К. стал секретарем обкома в Калининграде в конце пятидесятых, а вскоре — первым, то есть абсолютным хозяином. И вот хозяину захотелось побывать на рыбоконсервном комбинате. Он там и раньше бывал, но не в качестве первого. А теперь ему хотелось осуществить мечту — посмотреть на член голубого кита. В области было три или четыре китобойных флотилии, и китовое мясо, жир и прочие субпродукты перерабатывались на этом комбинате. Директором его был замечательный грузин по имени Отари.

Помощник первого позвонил Отари и сказал, что босс не прочь как бы между прочим, как бы случайно взглянуть на легендарный член. План был такой: первый выйдет из машины, пройдется по территории, пообщается с народом, пройдется мимо холодильников, а тут вдруг случайно мужики вынесут из склада китовый член.

Мужиков в ватниках отправили в холодильник, они сели и стали ждать. В рефрижераторах, понятно, мороз. Посидели, посидели, а секретаря все нету. В холоде ведь и сдохнуть можно. А не послать ли гонца? Послали. Выпили. Стало получше. Ждут. Опять никого. Послали снова. В общем, посылали и посылали. А потом вдруг команда: «Пошли!» Мужики подхватили член — три с половиной метра длиной, около двухсот кило — и вытащили из склада, но при виде первого споткнулись все пятеро и уронили член ему на ногу. Может, не на ногу, а рядом. Но — конфуз.

Говорят, после этого первый возненавидел комбинат, а Отари не получил ожидаемого Героя.

А первый за двадцать четыре года калининградской карьеры больше ни разу так и не побывал на рыбоконсервном комбинате.

В обкоме работало много замечательных людей, отлично знавших свое дело и откровенно мучившихся «партийностью». Железнодорожники, рыбаки, строители, машиностроители, бумажники, аграрии просто не понимали, что такое «партийное руководство»: им было проще достать кабель или кран для завода, разрулить пробку на железной дороге или в порту. Они и уходили из обкома — на повышение, разумеется, — с нескрываемым облегчением. То есть обком для таких людей был неизбежной ступенькой в карьере. В орготделе — люди другого сорта, там было больше чистых карьеристов-аппаратчиков, они выдвигались по партийной-советской линии, среди них было много выходцев из комсомола. Именно они больше всех ненавидели прессу и призывали постоянно «держать и не пущать», а потом, когда все стало рушиться, — стали бизнесменами худшего пошиба. Впрочем, не все, конечно: среди них встречались очень неплохие ребята, хотя они были в меньшинстве. И все они относились к идеологам с насмешкой, а уж к журналистам, которых и было-то — двое, я да заведующий сектором, с ненавистью. Не все и не всегда, но в целом — да.

Несколько месяцев я готовил разного рода справки, отвечал на письма трудящихся, развязывал склоки в редакциях. Все — впервые: я ж никогда ни в каком аппарате раньше не работал. А здесь — свои правила, чаще неписаные. Туда не ходи, здесь не сиди, лови колебания воздуха, в этом туалете не мочись — там только секретари членом машут. Зоопарк. Но и школа. Справки и ответы на жалобы заставляли переписывать десятки раз: никаких лишних слов, ни-ка-ких. Любое лишнее слово может обернуться против тебя, сломать карьеру, а то и судьбу.

У меня уже было несколько готовых рассказов, за которые я был готов поручиться головой, и это было самым важным, чего я к тому времени добился в жизни. Я выполнял служебные обязанности, часто — не хуже других, говорил правильные слова, когда надо было говорить эти правильные слова, и молчал, когда надо было молчать. Я отдавал себе отчет в том, что это цинизм и лицемерие, но все это было не важно — важнее была моя вторая жизнь, о которой никто не догадывался. Я чувствовал себя подлинно свободным человеком, когда думал о том, что первую жизнь со всеми ее благами у меня могут отнять, а вот вторую — никогда. Я был человеком с двойным гражданством. Выражаясь языком поэтическим, я был гражданином Града Земного, но одновременно и гражданином Града Небесного — и вот этого гражданства лишить меня не мог никто.

Как и мои родители, как и миллионы советских людей, я страдал синдромом отложенной жизни. Тогда часто можно было услышать: «Ну ладно, мы живем плохо, ничего, потерпим, зато наши дети будут жить хорошо». Как говорил Эдик, друг-враг из первой моей районной газеты: «Вот выйду на пенсию и прочитаю твоего Достоевского». Руки до Достоевского у него так и не дошли. Отложенная жизнь — это как мертвый плод в утробе, отравляющий несчастную мать.

И вот я стал мало-помалу избавляться от этого синдрома. Это началось тем вечером, когда я в гигиенических целях сжег рукопись колхозного романа и стал писать о том, о чем, как оказалось, я хотел писать всегда, и у меня стало получаться.

Я всегда был своей тюрьмой, но теперь, как мне казалось, я был и своей свободой.

Глава 8. Единорог

В марте 1987 года я перевез семью в Калининград, получив наконец квартиру.

В первый же день мы с женой побежали в молочный магазин и купили столько молока, ряженки, варенца, кефира, что еле дотащили до дома: мы впервые столкнулись с таким изобилием. Дети были в восторге.

А в самом начале мая я попал в больницу с аппендицитом, точнее с перфорированным перитонитом. Скрутило в обкоме на дежурстве. Коллега сказал: только не вызывай нашу спецполиклинику — там врачи без серьезной практики, по сути — с низкой квалификацией, в любом серьезном случае зовут специалистов из других больниц. Вызвали обычную «Скорую», оперировали в обычной больнице.

Летом из «Калининградской правды» ушли сразу два заместителя главного редактора, и через несколько дней после этого я «пошел на повышение».

Главным редактором «Калининградской правды» в 1987 году был Евгений Петрович Т. В обкоме партии его боялись и ненавидели все, кроме первого секретаря, с которым он дружил. Но боялись и ненавидели вовсе не из-за дружбы с первым — он никогда не позволял «этим», то есть функционерам, вторгаться на его территорию, отшивал не раздумывая. Впрочем, при этом, будучи членом бюро обкома, никогда не забывался, не заигрывался.

Во время войны Евгений Петрович был зенитчиком, несколько лет работал главным редактором областной русской газеты в Узбекистане — этот опыт наложил отпечаток на его характер: там ведь — шаг влево, шаг вправо...

Он хорошо знал дело — газета не сходила с доски почета ВДНХ (тогда это было важно). Верстка, графика, качество текстов — он вникал во все, все знал, все умел, обладал вкусом и никого не щадил. Ко мне он отнесся поначалу настороженно (из «этих»), но вскоре отношения наладились.

Я попал в «Калининградскую правду» в интересное время.

Почти каждый день Горбачев где-нибудь выступал с судьбоносными заявлениями. Его отличала склонность к «заносам»: он часто отвлекался от текста, заготовленного спичрайтерами. И вот часов в пять вечера мы получали по телетайпу «рыбу» — заготовку его выступления с эмбарго (запретом на публикацию), скажем, до 21.00. Засылали текст в набор, верстали, читали. Потом получали новый текст — исправленный и дополненный, и от «рыбы» не оставалось ни хвостика, ни чешуйки. Потом еще раз, еще. И так — до пяти утра.

Тираж газеты взлетел до небес: 200 тысяч экземпляров для области с населением около 900 тысяч человек — немало. С каждым месяцем обострялись отношения с обкомом. Тут иногда выручали мои дружеские связи с инструкторами, завотделами, секретарями — я ж был из «этих», мне удавалось тушить конфликты. И с каждым месяцем росло убеждение: «эти» — а среди них было много отличных спецов и хороших людей — идут к погибели просто потому, что идет к погибели система. Потоком шли информационные письма и секретные записки из Москвы: Северный Кавказ, Прибалтика, Средняя Азия, армия, промышленность, сельское хозяйство — обо всем без прикрас, в деталях (иногда страшных), а вывод — повысить, углубить, усилить. Они все знали, но уже ничего не могли сделать. Это была историческая импотенция.

Тогда я начал ездить в Польшу к коллегам-газетчикам — в Ольштын, Эльблонг, живал там иногда неделями. По возвращении публиковал серии репортажей и очерков — о судьбе православных в Польше, о реальном авторитете Костела, о встречах с сенаторами от «Солидарности», о митингах Валенсы, о галопирующей инфляции, о полуфантастическом быте времен польской перестройки (у нас все это случится в 90-х), о кооперативах, которые тогда были притчей во языцех и в Польше, и у нас...

Однажды в Ольштыне друзья, польские журналисты, отвезли меня на мемориальное кладбище советских солдат. Это был непременный пункт программы, составленной с расчетом на функционера — на меня: советский партийный работник посещает мемориал, возлагает венок и т. п. Все это я и проделал, конечно.

Остановился перед кладбищенской стеной, на которой висели мемориальные таблички с именами французских летчиков из эскадрильи «Нормандия — Неман».

— Если б не французское посольство, — сказал мне Ян Ваховец, заместитель главного редактора воеводской газеты, — это кладбище давно разгромила бы «Солидарность». Они хотели устроить здесь танцплощадку, но французы встали на дыбы. А вон там... хочешь посмотреть? Туда обычно советские не ходят, но, может, тебе будет интересно...

Через узкую калитку в стене мы вышли под кроны громадных старых деревьев. Это была старая часть кладбища. Трава — до пояса, и в траве — десятки каменных надгробий. Кресты простые и тевтонские. На них надписи по-немецки. На одном написано — «Martin Nikifurno Korovkin, 1918». До меня вдруг дошло: это же Мартын Никифорович Коровкин, имя которого переврал немецкий писарь. Ну да, здесь же в августе 1914-го были жесточайшие бои, здесь погибала армия Самсонова.

Разумеется, Ян знал больше моего: «Раненые русские солдаты умирали в немецких госпиталях, тут их и хоронили. Завтра поедем в Стембарк — увидишь много интересного».

На следующий день мы отправились в Стембарк, который у немцев назывался Танненбергом. Именно там, под Грюнвальдом-Танненбергом, в 1410 году польско-литовско-смоленские войска разгромили Тевтонский орден, а великий магистр Ордена Ульрих фон Юнгинген был смертельно ранен в единоборстве с ханом Джелаледдином, которого в европейских хрониках называли Багардзином, и похоронен в часовне замка Бальга, остатки которого и до сих пор высятся на берегу Калининградского залива, немецкого Фришес-Гафф. В окрестностях Стембарка сохранилась и память об августе Четырнадцатого — десятки надгробий и крестов: здесь похоронен неизвестный русский летчик, там — русские кавалеристы, а вон за тем холмом — русские пехотинцы.

После этого мы съездили к памятному знаку, установленному на месте гибели генерала Самсонова. Он покончил с собой, офицеры завернули его тело в казацкую бурку и похоронили наспех в песке. Вскоре некий польский лесник наткнулся на захоронение, нашел и золотые часы с именной надписью, которые отвез местному ландрату Виктору фон Позеру. Шла война, немцы бились с русскими, но при содействии датского Красного Креста вдова генерала Самсонова приехала в Восточную Пруссию, чтобы отыскать тело мужа. Ей помогало восточнопрусское военное ведомство — в лице полковника фон Бенигка. После долгих поисков генеральша встретилась с Виктором фон Позером, опознала часы, тело эксгумировали и через Кенигсберг, Копенгаген, Стокгольм перевезли в Санкт-Петербург. На месте гибели генерала Виктор фон Позер на свои деньги установил памятный знак — крест святого Андрея Первозванного, не указав на нем, впрочем, имени Самсонова: все-таки он был самоубийцей...

Обо всем этом мне рассказывали польские журналисты и люди из Грюнвальдского фонда. Для меня это, разумеется, было открытием. А вот то, что никто за этими могилами не ухаживает и никто из России на них не бывает, — это открытием не было. Первая мировая стала для многих в России «чужой войной».

Я попросил о встрече с отцом Александром, священником православного прихода в Ольштыне. Мы пили чай в его квартирке, отец Александр рассказывал о своем деде — офицере Генерального штаба, оставшемся после октября 1917-го в Польше, об отце-враче, о белорусских и польских крестьянах, которые сохраняли верность православию в годы послевоенных гонений, во времена Берута, когда интеллигенция отшатнулась от церкви.

— Интеллигенция всегда предает, — сказал вдруг отец Александр тихим голосом. — Верность сохраняют нерассуждающие крестьяне. Для них истина — одна, а интеллигенты — их разъедает рефлексия...

Я спросил о захоронениях русских солдат и офицеров в Польше. Отец Александр тяжело вздохнул: «России они не нужны, а наши возможности чрезвычайно ограниченны...»

Ранним утром 1 сентября 1989 года я въезжал в Ольштын под траурный перезвон колоколов: Польша отмечала пятидесятилетие начала Второй мировой войны, в которой погиб каждый шестой поляк (и почти каждый второй погибший поляк был евреем). По такому случаю в костелы были впервые приглашены священники других христианских конфессий, а также раввины и имамы, которые выступили с проповедями о мире. Среди приглашенных были и православные батюшки: после московской встречи Горбачева с кардиналом Казароли отношение польских католиков к польским православным стало меняться к лучшему.

За неделю до этого генерал Ярузельский назначил премьер-министром Польши Тадеуша Мазовецкого, одного из лидеров «Солидарности». На первых полосах оппозиционных коммунистических газет рядом с портретом нового премьера было написано примерно следующее: «Конрад Мазовецкий привел в Польшу крестоносцев. Какой беды ждать от Тадеуша?»

Имя Конрада Мазовецкого в сознании поляков, кажется, стоит в одном ряду с именем Иуды Искариота. Именно этот князь в XIII веке позвал рыцарей Тевтонского ордена в Польшу, чтобы немцы помогли полякам в борьбе с дикими пруссами, народом, «не ведавшим пива». Папа римский благословил тевтонов на крестовый поход в земли Святой Девы. И вскоре огромное пространство между Вислой и Неманом стало владениями Ордена.

В 1241 году в Новгороде Великом был крещен прусский (жмудский) князь Гланда Камбилла Дивонович, бежавший от тевтонских рыцарей и поступивший на службу к сыну Александра Невского — Дмитрию. При крещении Гланда Камбилла получил имя Иоанн. Русские прозвали его Иваном Кобылой. По преданию, именно он и положил начало роду Романовых.

В 1255 году великий магистр Поппо фон Остерна и король Чехии Пжемысл Отокар II основали Кенигсберг. В 1525 году Альбрехт, великий гроссмейстер Тевтонского ордена, перешедший в протестантизм, стал первым герцогом светского государства Восточная Пруссия со столицей в Кенигсберге. В 1945 году по решению Потсдамской конференции Восточная Пруссия была ликвидирована, две трети ее территории отошли Польше, треть — Советскому Союзу, Мемельский край был передан Литве.

«Перекресток крови» — эти слова крутились в моей голове, когда я бродил по полям Танненберга-Грюнвальда, на которых в 1410 году объединенные силы поляков, литовцев, русских и татар разгромили Тевтонский орден, а в 1914 году на тех же полях войска Гинденбурга и Людендорфа разгромили армию генерала Самсонова. Немецкая пресса назвала сражение под Танненбергом «битвой возмездия» — возмездия за 1410 год.

«Перекресток крови» — эти слова возникали в моем сознании, когда я возвращался из деревни Войново, где в 1832 году нашли пристанище русские старообрядцы, спасавшиеся от притеснений русского правительства. Здесь же, на землях Восточной Пруссии, задолго до Французской революции провозгласившей свободу совести священной, селились потомки французских гугенотов и чешских гуситов.

На выставке «Буханка вильнюсского хлеба», устроенной в Ольштыне, я встретил много заплаканных польских женщин, которые после войны были вынуждены перебраться сюда из Вильнюса, «нашего города», где на старинном кладбище в могиле матери захоронено сердце великого Коменданта, Дедушки всех поляков — маршала Пилсудского.

Перекресток крови...

Европа вся — перекресток крови: Фландрия, Балканы, Кавказ, Восточная Пруссия...

В районе, где я работал главным редактором газеты, жило немало литовцев, которым было запрещено проживание на территории Литовской ССР. Это были «зеленые братья», воевавшие с советской властью, а также «классово чуждые элементы».

Однажды мы с Володей Гельманом, редакционным фотографом, ездили по совхозам и остановились попить воды у одинокого дома, стоявшего вдали от поселка, на берегу реки. Хозяек дома — сестер

Анну и Кристину, опрятных и малоразговорчивых старушек-литовок, в окрестных деревнях называли вдовами и насмешливо — помещицами. Они подняли воды из колодца и напоили нас, а потом проводили нас к маленькому кладбищу, за которым, как выяснилось, старушки ухаживали много лет. Здесь стояли два каменных креста, на одном было написано «Unbekannte russische Kriger 1914—1918», на другом — «Nicht umsonst 1914—1918». Русские и немецкие солдаты лежали в пяти шагах друг от друга. У крестов стояли цветы в глиняных горшочках.

— У жизни нет чужих, — сказала Анна.

— Вы хотели сказать — у смерти? — сказал я.

Анна покачала головой: нет.

Я спросил, почему они не перебираются в поселок — там водопровод, почта, магазины, соседи, наконец. Старушки в ответ только пожали плечами.

— Взгляните туда, — сказал Володя Гельман, когда мы сели в машину. — Видите дом?

На другом берегу реки, на взгорке, стоял небольшой дом с белыми колоннами.

— Дом культуры, что ли?

— Сейчас — дом культуры, — ответил Володя. — А тридцать лет назад этот дом принадлежал Анне и Кристине. Поэтому они и не переезжают в поселок. Каждое утро старухи видят за рекой свой дом, каждое утро молятся во дворе об обретении родового гнезда. Я как-то посмеялся над ними, а они мне сказали: «У вас, у русских, вся огромная Россия — ваш дом, а наш дом — только тут». Как вернулись из Казахстана, из лагеря, так тут и поселились, работали в совхозе, сейчас на пенсии, ухаживают за этим кладбищем, хотя никто их об этом не просил, ждут, верят...

— Ну да, — сказал я, — у жизни нет чужих.

Восточная Пруссия, Вармия и Мазуры, Калининградская область, Литва, Грюнвальд-Танненберг, Гросс-Егерсдорф, Прейсиш-Эйлау, Фридланд, Тильзит, Региомонтум, Кенигсберг, Крулевец, Караляучус, Краловец, Королевец, Калининград, католики, протестанты, православные, гугеноты, гуситы, старообрядцы, пруссы, поляки, немцы, литовцы, евреи, чехи, французы, русские...

Тысячелетний перекресток крови...

В моем сознании брезжили контуры der Ganze, той целостности, той полноты жизни, о которой тоскует всякий человек, страдающий дефицитом божественности...

Поток почты в «КП» нарастал. Потом стало принято язвительно шутить по поводу внезапного всеобщего прозрения. Но это — естественно. Понадобилось не так много времени, хватило семи десятилетий, чтобы люди привыкли к тому, что они — простые *пользователи своих тел.* Привычка к злу приятна: человек тянется к злу, потому что оно, как многим кажется, делает его сильнее. Теперь люди учились быть другими, учились говорить — говорить вслух, без оглядки, журналисты в том числе. А то, что все вдруг прозрели, говорит не только о природе человека, но и о природе той власти. По моим тогдашним ощущениям, для большинства это было не познанием своей страны, а как бы воспоминанием. У меня такое было, когда я впервые читал «Один день Ивана Денисовича». Родители не рассказывали о сталинских лагерях, где сидел отец, соседи тоже не любили об этом вспоминать, но когда я читал этот роман, казалось, будто я все это откуда-то знаю.

Все журналисты хотели быть публицистами — никто не хотел писать репортажей.

Евгений Петрович публицистику презирал: «Эти ваши рассудизмы...» Но и он не знал иногда, как относиться к простым новостям, которые летели на первую полосу: то какая-то женщина вдруг ни с того ни с сего встанет на колени перед памятником Ленину на центральной площади и начнет просить у него прощения; то телефоны в туалетах обнаружатся, когда в городе — дефицит и огромные очереди за телефонами (я, номенклатура, так и прожил четыре года без домашнего телефона) ...

Менялось все и вся.

Помню, как я выступал с лекцией в областном управлении КГБ, и когда из зала стали доноситься негодующие реплики про «очернительство», начальник управления генерал Сорокин вдруг топнул ногой и закричал: «Да дайте же человеку правду сказать-то!» Впрочем, я не уверен в том, что генерал был так уж сильно заинтересован в правде. Может быть, дело в том, что он уже знал, что скоро умрет от рака...

Тогда вошел в моду призыв к покаянию — его требовали от функционеров, от известных людей, наконец — от всех, от всего народа. «Мы виноваты в том, что» — так писали и говорили довольно часто. Но не помню, чтобы кто-нибудь сказал: «Я виноват в том, что». Что ж, «главная прелесть национального покаяния в том, что оно дает возможность не каяться в собственных грехах, что тяжко и накладно, а ругать других», писал Клайв Льюис.

Редакцию заваливали письмами «трактористы» — так мы называли сочинителей трактатов, которые точно знали, как нам обустроить Россию. Особенно настойчивым был один майор запаса. Это была фигура типичная для военного города. Такие люди в сорок с небольшим уходили в запас, получали военную пенсию, устраивались на непыльную работу — инспекторами пожарного надзора, инженерами по технике безопасности, целыми днями играли в шахматы, выпивали с дружками — лишь бы дома не сидеть. Наш майор был инспектором энергонадзора. Каждый день он перекусывал в одном и том же кафе — трехкопеечный чай, четырехкопеечные пончики. И вдруг пончики стали стоить пять копеек, а потом и больше. Это так взволновало майора, что он написал многостраничный трактат с цитатами из Маркса и Ленина — о том, что нужно сделать, чтобы остановить это безобразие. Вывод его был, в общем, прост: держать и не пущать. Ему удалось прорваться ко мне на прием, и я спросил его, как же это — держать и не пущать? Каким образом? «Да не позволять никому повышать цены!» — воскликнул он. «А экономика?» Он в отчаянии закричал: «А социализм?» В общем, мы не договорились.

Однажды мы с женой и двумя маленькими детьми встали в очередь в Центральном гастрономе (кажется, за «ножками Буша»), давка была невероятная, люди кричали, дрались, я выбрался из толпы с семьей, товаром и оторванным карманом. Зашел по делам в обком — там совещание. Секретарь обкома Ким Щекин кивает на карман — рассказываю. Он задумчиво говорит, обращаясь к людям в кабинете: «Значит, будет разгружать. Иначе начнется...» Я не понял, о чем это он, — были свои дела. Потом узнал: в тот день в порту разгрузили пароход с мясом из Германии для Москвы. То есть выгрузили мясо и отправили его в калининградские магазины, хотя оно предназначалось москвичам. Долго колебались — дисциплина, Москва, ЦК, но решились. Выхода уже не было.

Неподалеку от нас, на Нарвской, стоял большой гастроном, в стене которого сделали амбразуру — из нее торговали водкой. Тут колыхалась и гудела тысячная толпа, и я помню, как однажды несколько пьяненьких мужчин с размаху забросили своего дружка наверх, и он пополз по головам к амбразуре, размахивая руками, как при плавании в бурной воде, доплыл до амбразуры и купил водки.

В марте 1990-го в Калининград приехал Борис Ельцин. Он был депутатом и членом президиума Верховного Совета СССР, членом ЦК КПСС, а новый первый секретарь обкома не был даже кандидатом в члены ЦК. Поэтому встречали Ельцина по высшему разряду, хоть и ненавидели его люто. Обком, облисполком, милиция и КГБ — все «взяли под козырек».

Помощники Ельцина попросили не присылать черные «Волги»: «Борис Николаевич не любит этого шика, предпочитает какой-нибудь микроавтобус». Самая богатая компания — «Калининградрыбпром» — выделила «какие-нибудь микроавтобусы» Volkswagen, стоившие в несколько раз больше любой «Волги».

Меня отрядили сопровождать Ельцина в поездке на судостроительный завод «Янтарь», бывший 820-й, бывшие верфи Шихау, где строили корабли для Военно-морского флота.

Ельцин шагал по причалам так широко, что первый секретарь, мужчина почти одного с ним роста, едва за ним поспевал. С залива дул ледяной ветер, но мы все были мокрыми от пота. Кто-то проворчал: «Это он, конечно, нарочно демонстрирует силу и удаль демократии».

После стремительного прохода по цехам московская делегация встретилась с директором завода, чтобы уговорить его перейти из союзной в российскую юрисдикцию (тогда для Ельцина эта тема была чуть ли не первостепенной). Ельцин напирал, директор сомневался: завод и так-то не завален заказами, а после перехода в российскую юрисдикцию и вовсе «ляжет». Разговор мало-помалу дошел до такой точки, когда всех попросили выйти, оставив Ельцина и его помощника наедине с директором завода и первым секретарем обкома.

Мы вышли и наткнулись на человеческую стену.

Заводоуправление располагалось в старом немецком здании с узкими крутыми лестницами, и эти лестницы снизу доверху и по всей ширине были плотно забиты людьми: женщины в платках и ватниках, мужчины в комбинезонах, бригадиры, мастера, инженеры — все хотели посмотреть на Ельцина.

Мы с Коржаковым и немногими добровольцами взялись за руки и попытались оттеснить толпу, которя при виде Ельцина, выходившего из кабинета директора, закричала и попыталась смести охрану. С огромным трудом Ельцину удалось пробиться во двор.

В редакции знали, что на центральной площади города местная «Солидарность» собирает к приезду Ельцина митинг. Но Ельцин на оппозиционный митинг не поехал — отправился на улицу Кирова, в дом политпросвещения, где его ждали те, кого было принято тогда называть «партийно-хозяйственным активом»: партийные, советские, профсоюзные и комсомольские функционеры, руководители предприятий, генералы и адмиралы.

На тротуаре у дома политпросвещения стояла горстка людей с плакатами «Борис, борись», кто-то из них бросился к Ельцину, но он прибавил шагу и скрылся за дверью.

Зал слушал его внимательно, но Ельцин не дал ни одного повода усомниться в том, что он член ЦК КПСС. Похоже, помощники подготовили его, рассказав, как называет Калининградскую область западная пресса: «цитадель сталинизма», «потайной карман КГБ» и т. п., здесь тьма военных, в том числе — военных пенсионеров, а это самая консервативная часть любого общества («Армия и полиция создаются не для того, чтобы совершать революции, но чтобы защищать существующий порядок»). Он не хотел «обострений»: поддержка провинции для Ельцина была тогда важнее, чем демонстрация новообретенных убеждений.

В репортаже о поездках и встречах Ельцина я употребил выражение «опальный принц Кремля», заимствованное из какой-то немецкой газеты. Эти три невинных слова вызвали бурную реакцию: в редакцию посыпались письма, в которых меня обвиняли в оскорблении святыни, в реакционности, в связях с КГБ и прочих смертных грехах.

Культ личности Ельцина резко усилился после его демонстративного выхода из КПСС. Он стал «человеком надежды» — и не только для масс, но и для многих партийных функционеров, изнывавших в тени и мечтавших о смене недееспособного руководства страны, которое мешало их карьере. По моим наблюдениям, именно они — кто действием, а гораздо чаще бездействием — немало способствовали приходу к власти Ельцина, против которого работала вся огромная советская пропагандистская машина. Потом, уже в 90-х, об этих людях из тени скажут: «К власти пришли *вторые*».

А что до самого Ельцина... многие тогда пророчили его скорое падение, руководствуясь логикой законов, установленных людьми, но история живет по другим законам, по тем, которые не нуждаются в оправдании. Ельцин — не герой и не злодей, он — неизбежность. Когда я высказал эти банальные мысли главному редактору, Евгений Петрович поморщился — страсть не любил ложного пафоса — и сказал: «Нет никого опаснее людей *переходных:* от прошлого оторвались, а к будущему не пристали. Такие людей не жалеют, потому что сами они потеряли свое место среди людей».

Я не стал спорить, хотя считал, что *переходность*, состояние *между* — это извечное, а может быть, и неизменное состояние России. И Ельцин — он не внушал мне страха: на нем лежала отчетливая печать временщика, калифа на час. Гораздо больше тогда пугал ужасающий тезис Горбачева «иного не дано».

Однажды на редколлегии в очередной раз зашел разговор о «низовой» перестройке. В больших городах, в столицах с их крупной промышленностью и университетами жизнь очевидно менялась, а вот в городах маленьких, в деревнях все оставалось по-прежнему, разве что лозунги на общественных зданиях обновились. В Советске — бывшем Тильзите — на площади у горкома партии на каждом фонаре висели выцветшие плакатики с надписью, поражавшей воображение: «Не дадим взорвать мир». Рядом с ними прикрепили фанерки с лозунгом «Перестройка — дело каждого». Тем дело и закончилось. А ведь Советск по нашим меркам был довольно крупным городом: около сорока тысяч жителей, целлюлозно-бумажный комбинат, театр.

Когда-то военные говорили, что скорость движения пехотной колонны на марше определяется не авангардом, а арьергардом — слабыми солдатами, больными, ранеными. Кто-то из членов редколлегии сказал: «Пока не будет нормальной жизни в самой сраной деревне, о переменах в стране говорить стыдно». Вот мы и решили опубликовать серию очерков об «арьергарде» — о повседневной жизни в самом отдаленном районе.

Я отправился в городок, где не так давно был главным редактором газеты, встретился с людьми, которых неплохо знал, и написал большой текст. Разумеется, он был «перестроечным», и чуть ли не главное место в тексте занимали разговоры с первым секретарем райкома КПСС, который рассказывал «о сегодняшнем дне и перспективах района». Он был молодым, огромным, спокойным и очень неглупым мужчиной, этот первый. Несколько лет назад с радостью уехал из областного центра сюда, в самый отдаленный район, и делом занимался с удовольствием, и люди к нему относились хорошо.

«Сегодняшний день» я проиллюстрировал бытовыми зарисовками: тихая жизнь, обыденные заботы, скромные мечты. И детали: резиновые боты, в которых женщины по утрам выходили в сараи к скотине, а по выходным отправлялись в лес по грибы; дощатые двери сараев, которые снимали с петель, чтобы на ней заколотую свинью «осмолить» — обжечь паяльной лампой, а потом оскоблить дочиста ножом (черный контур лежащей на боку свиньи навсегда запечатлевался на досках двери); ведра с вожделенными помоями, из-за которых учителя литературы ссорились с учителями физики...

Эти очерки на редколлегии были признаны лучшими публикациями недели, меня поздравляли, хвалили за «знание жизни». Но в тот же день мне позвонили из обкома партии: «Публикация вызвала в районе скандал, массовое недовольство. Мы тут тоже пока не понимаем, в чем дело, но не можем не реагировать. Поезжай-ка туда и встреться с читателями». Я поехал и встретился.

В зале заседаний райкома партии собралось человек двести. Это были руководители совхозов, секретари парторганизаций, партийные, комсомольские, профсоюзные активисты. Мы с первым секретарем сидели за столом президиума на небольшой сцене. «Только не сорвись, — вполголоса предупредил меня первый. — Терпи и терпи». Терпеть пришлось два часа. Два часа без продыха двести человек кричали на меня, костерили на чем свет стоит и требовали извинений, извинений и извинений. Я оскорбил их всех, выставил сельскими дураками и провинциальными ничтожествами перед всем миром. История человечества не знала еще такого негодяя, который с садистским удовольствием унизил «весь район, всех честных тружеников, друзей и соседей». Только к концу встречи до меня стало доходить, что всем наплевать на мои рассудизмы о перестройке и рассказы первого секретаря о «сегодняшнем дне и перспективах района», — главными раздражителями стали бытовые детали: резиновые боты, дощатые двери с черными свиными контурами, ведра с помоями. Вот что оскорбило и унизило этих людей — детали.

— Если б ты написал про достижения и отдельные недостатки, никто и глазом не моргнул бы, — сказал первый, когда мы вечером после встречи заперлись в его кабинете. — А ты тронул личное, стыдное...

— Галоши — стыдное? — удивился я. — Моя жена с соседками в таких галошах тоже в лес ходила...

— А теперь не ходит. Ты отсюда уехал, вырвался, теперь твои дети ходят в школу, где у учителей нет нужды держать дома свиней, чтобы выжить, а мы тут остались — с этими галошами, сараями, свиньями и помоями. — Первый вздохнул. — Твой очерк не об этом, но все свелось к этому... Ты никогда не задумывался, почему русский народ не любит книги и фильмы про русский народ? А потому, что в этих фильмах и книгах нет красоты... Индии нет, понимаешь? Я на днях в газете читал, что мать Шукшина обиделась на памятник сыну, говорит, мой Вася в сапогах никогда не ходил, он ботинки любил...

— Читал...

— Ты самогон у Гайки покупал когда-нибудь?

— Было.

— В красивой бутылке?

— В обычной.

— А другие за красивую доплачивают...

Гайкой звали Дашу Гаеву, сварливую самогонщицу, которая жила на окраине в маленьком доме с пластмассовыми тюльпанами в вазе и морской раковиной на телевизоре. Ее зять ходил в море, иногда привозил из плавания коньяк, ром или виски в красивых бутылках. Гайка бережно отмывала бутылки, чтобы сохранить этикетки, наполняла самогоном и продавала дороже, чем в обычных емкостях. Покупатели такие бутылки тоже не выбрасывали — хранили в серванте, на видном месте, чтоб гости видели и завидовали. А курила Гайка злую «Приму», которую на людях вытряхивала из пачки «Мальборо».

Первый разлил водку по рюмкам.

— А ты молодец, что не стал в споры ввязываться, — сказал он. — Ну, за красоту!

Мы выпили и простились.

Вскоре Евгений Петрович решил уйти: возраст, устал. Пили водку, а потом мы с ним вдвоем допоздна гуляли по каштановым аллеям. Он вспоминал польку, в которую влюбился в сорок пятом, и говорил, что не верит в мое «калининградское будущее». Я тоже не верил.

На место главного мы уговорили моего друга, нового секретаря обкома по идеологии Сашу, Александра Георгиевича. До обкома он немало поплавал штурманом, в обкоме был главным спичрайтером, писал за всех кандидатские и докторские, редактировал книги «известных калининградских писателей», умел развязывать совершенно тупые конфликты в театре, в творческих союзах, где постоянно шла грызня — в союзе художников, например, грызлись из-за брандмауэров (кто станет творцом лозунга «Партия — наш рулевой» на крыше здания и получит за это приличные деньги) или из-за больших портретов членов Политбюро, которые устанавливались на стадионах, в городе: выгоднее всего было писать портреты Брежнева и Устинова в маршальских мундирах — три рубля за каждый орден, пять за погоны.

Помню, как мы с ним разруливали вечный конфликт в союзе писателей. Всякий раз, когда утверждался план книжного издательства, разгорался «национальный конфликт». Приходил в обком Самуил Д. с жалобой: «Ну нельзя же так, антисемиты нас зажимают, из плана выбрасывают». За ним являлся Андрей С. с жалобой на зажим русских. «У них же там творческий союз, собрания и все такое, — сказал я. — Вот пусть сперва между собой перегрызутся до результата, а потом идут к нам с этим планом». Саше понравилось, и конфликт потух.

В общем, мы его уговорили, а он, стоило ему повариться в редакционном котле, вскоре стал главным нашим заступником. Он совмещал должности главного редактора газеты и секретаря обкома по идеологии, а с секретарем обкома — поспорь-ка.

К тому времени я дошел до точки: журналистика обрыдла мне во всех ее видах и проявлениях. Все чаще в голову приходила мысль: с газетой пора расставаться. Или сделать так, чтобы она занимала в моей жизни как можно меньше места. Общественные интересы, митинги, демонстрации, левые и правые, либералы и консерваторы — все это было не моей жизнью, а главное — не моим *языком*. Я хотел стать идиотом — в первоначальном смысле этого греческого слова, в том смысле, который, кажется, и имел в виду Достоевский, когда создавал образ князя Мышкина, то есть я хотел стать частным лицом, человеком, не принимающим участия в государственных и общественных делах, не сведущим в общепринятых правилах и не играющим по этим правилам.

По природе своей я настоящий нелюдим, одиночка. В детстве любил слушать истории, которые рассказывали взрослые, но это были «свои» взрослые — соседи, сослуживцы отца и матери, и когда они умолкали, их запросто можно было спросить: «А он? А она? А дальше что?» В газете же приходилось задавать вопросы незнакомым, чужим и часто чуждым мне людям, причем вопросы эти относились не к их жизни, а к их работе, и это было мучительно.

В зарисовке, очерке о доярке, телятнице или трактористе обязательно должно было присутствовать «чувство глубокого удовлетворения» героя своей работой, потому что он был передовиком соревнования, участником трудовой вахты в честь очередного съезда КПСС или хотел сделать трудовой подарок очередному пленуму ЦК КПСС. И вот зимой я встречался с телятницей, непьющей и неглупой, которая ухаживала за полусотней телят. Каждый день ей приходилось вставать в пять утра, добираться в темноте по обледеневшей тропинке до фермы, где вдруг сломался транспортер-навозоудалитель, потому что кто-то спрятал под транспортером вилы, и утром, когда включили рубильник, вся эта лента со скребками дернулась, встала дыбом — и все, жди приезда ремонтной бригады из райцентра, а пока убирай навоз вилами. А потом надо раздать корм телятам — пойло, «бражку» (жидкие дрожжи), каждому по шестнадцать кило. И вот эта телятница таскает ведрами «бражку», пока не накормит последнего теленка, — восемьсот кило ведрами. И столько же вечером. Тысяча шестьсот кило в день. И так каждый день. А тут приехал человек из газеты и спрашивает, нравится ли ей ее работа. Передо мной стоит неглупая и непьющая женщина лет сорока–сорока пяти, в заляпанном грязью халате, надетом поверх ватника, в резиновых сапогах, в платке, безмерно усталая, с восемью классами за плечами, не привыкшая к «умным разговорам», а дома ее ждут попивающий муж, трое детей и больная свекровь, и ничего другого в ее жизни не будет, а я должен написать о ее «чувстве глубокого удовлетворения» — хоть расшибись, потому что эту телятницу, согласно разнарядке, выдвинули кандидатом в депутаты областного совета (по графе «беспартийный передовой животновод»), у нее орден «Знак Почета», и вот я задаю ей все эти идиотские вопросы, она мямлит что-то в ответ, а потом секретарь парткома говорит: «Зина, ну почему ты не хочешь поехать на курсы повышения квалификации? За скотиной твоей (домашней) свекровь присмотрит, ну и муж иногда, дети уже большие, а там отдохнешь, в парикмахерскую сходишь...» Телятница вздыхает, качает головой, и тогда секретарь парткома пускает в ход последний аргумент: «Зубы вставишь, Зина, зубы!» У нее очень плохие зубы, поэтому она задумывается. А я уезжаю, чтобы по возвращении тотчас сесть за машинку и отстукать пятьсот строк про ее «чувство глубокого удовлетворения». В голове крутится рассказ секретаря парткома о том, как эта же самая Зина возглавила бунт телятниц, когда новый заведующий фермой запер ящик с комбикормом и положил ключ в карман. Телятницы объявили, что не выйдут на работу, пока с ящика не снимут замок, потому что они привыкли красть комбикорм для домашней скотины. И в конце концов новый заведующий фермой сдался. Председатель колхоза сказал ему: «Отдай им ключ — больше своего не возьмут», — и на ферму вернулся мир. Но писать об этом, разумеется, было нельзя.

Однажды я приехал в этот совхоз, на ту же ферму, и застал телятниц в комнате отдыха — убогом каменном мешке с голыми скамейками, с пожелтевшими графиками на облупленной стене, женщины обсуждали поступок товарки, такой же телятницы, которая убила любовника.

— Убивать-то зачем? — удивлялись женщины. — Мужики — они и есть мужики.

— Значит, любила, — вдруг сказала Зина. — Любовь — это когда хочется любимого не ранить, а убить.

Поймав мой взгляд, перевела разговор на другую тему.

Дверь распахнулась и тотчас захлопнулась, но и этого мига мне было достаточно, чтобы другими глазами взглянуть на эту Зину и на ее товарок. Я встречал их на разных районных конференциях и совещаниях: в париках, кримпленовых платьях, обтягивавших их неюные тела, в туфлях на высоких толстых каблуках, читающих с трибун речи, написанные другими людьми, и там они казались нелепыми, безобразными куклами, а здесь — здесь они были настоящими, живыми...

В те годы я смотрел на жизнь с высоты ненаписанных книг, был довольно высокомерным юнцом, и, может быть, поэтому эти люди были мне поначалу неинтересны. Мне были интересны совсем другие люди — Иван Карамазов, капитан Ахав, Йозеф К.

или Федра. Эти доярки, телятницы или трактористы никогда не говорили о боге и дьяволе, о чести и бесчестье, о душе и бессмертии, то есть о чем-то действительно важном, большом, главном, они говорили о маленькой зарплате, о протекающих крышах и премии к празднику, о чем-то таком ничтожном, что ну никак не заслуживало внимания литературы, настоящей литературы. Но иногда они заговаривали о детстве, о детях, о прижившейся яблоне или даже о любви, как эта телятница Зина... о чем-то, что не имело отношения к «чувству глубокого удовлетворения»... их обмолвки, намеки... что-то приоткрывалось в них на мгновение, что-то иное, что-то настолько подлинное, что дух захватывало... и чем пристальнее я вглядывался в их лица и чем внимательнее слушал их косноязычные рассказы, тем ближе — в моих глазах — становились они Ивану Карамазову, капитану Ахаву или Федре, точнее, тем острее я чувствовал их *соприродность* всему высокому, что любит в нас бог, и всему низкому в нас, *пащему,* что предназначено дьяволу, чувствовал их неосознанное стремление к божественному полету и непреодолимую тягу к дьявольскому саморазрушению, постепенно приходя к мысли о том, что эти люди и есть «мои люди» — со всей их растительной скудной жизнью, которой не позавидовали бы даже дождевые черви, со всеми их грязными ватниками и обветренными корявыми руками, напоминающими уродливый корень мандрагоры, со всей их любовью и ненавистью...

Каждый месяц я сдавал в секретариат редакции сто — сто пятьдесят машинописных страниц, и практически все это публиковалось в газете. Моими статьями о «чувстве глубокого удовлетворения», наверное, можно доверху набить шестидесятитонный железнодорожный вагон, а может, и не один, и все эти тысячи страниц не стоят ломаного гроша. Что ж, за науку приходилось платить — и гораздо дороже, чем я предполагал. Но на другую чашу железнодорожных весов, которыми в таком случае пришлось бы воспользоваться Господу всех пишущих, я тогда мог положить несколько удачных рассказов, пять или шесть, и мне хотелось думать, что они перевесили бы все эти тысячи страниц скуловоротной газетной писанины.

Я писал и зачеркивал, сжигал и снова писал, чтобы приблизить тот миг, который Пиндар называл словом из лексикона борцов — kairos — верным моментом, когда усилия человека и непостижимая воля судьбы совпадают, и книга, как принято говорить, находит своего читателя. Хотя этот верный момент — еще не победа над персами, о которой вспоминал Пиндар, а начало пути, начало жизни, в которой «победа» и «поражение» — одной природы.

Весной 91-го я отправил рукопись в журнал, мои рассказы приняли к публикации, и я понял: пора. Обмен квартиры занял немало времени и стоил нервов, но — удался. Честно говоря, ехал «в никуда». Были какие-то надежды прожить литературой, но я про это даже жене не говорил. И правильно делал, как вскоре выяснилось. Когда на исходе зимы 1992-го я получил в журнале гонорар за большую подборку рассказов, денег хватило на кроссовки и паленые джинсы. Но оно того стоило.

Незадолго до отъезда я отправился в родной городок.

Родители к тому времени перебрались на Украину, школьные дружки и подружки поразъехались, так что городок предстал передо мной сам по себе, моим и ничьим больше.

У проходной бумажной фабрики росла та же сирень, на которой моя мать когда-то сушила пеленки своего первенца, а я тем временем спал в коляске, стоявшей в большой комнате, где обычно собирались грузчики в ожидании работы, и грузчики играли в домино за длинным непокрытым столом, стараясь не стучать костяшками. Фабричная труба давно не гудела, не звала никого ни на работу, ни на подвиг. Деревянный мост у бани, на котором чуть не каждую субботу русская Семерка после танцев в фабричном клубе давала решительный бой цыганскому Питеру, используя доски из настила в качестве оружия ближнего боя, — этот мост заменили бетонным. Развалины в основном убрали, огрызки тюрьмы снесли. Кое-где появились новые дома и магазины. Сапожник с чеховской фамилией Елдырин, который говорил клиентам, возвращая починенную обувь: «У нас тут все честно, по-русски: с рук сдал — с ног само свалится», — оглох и никого не узнавал. Старый зэк дед Семенов, который пожирал живьем жаб, курил самокрутки с грузинским чаем и учил меня спасаться от холода, засовывая под рубашку газеты, давно умер. Стрелки на огромных часах над входом в школу по-прежнему не двигались, остановленные взрывной волной еще при штурме Велау. Толевый завод приспособили под выпуск картонной упаковки, и в округе больше не пахло горячей пековой смолой.

А вот отстойник — яма с «мазутой» — был на месте.

Я спустился с насыпи, по которой когда-то была проложена узкоколейка и бегали немецкие паровозики с медными котлами, таскавшие платформы с молоком, углем и дровами, и опустился в траву рядом с ямой.

Она изменилась за эти годы. Если раньше земля вокруг нее была словно выжжена, то теперь яму окружали кривые тонкие березки, черная ольха, берега ее густо поросли травой, и даже из ядовитой жидкости торчали острия каких-то упрямых растений, пробившихся сквозь смолу. Да и сама яма стала гораздо меньше, она стянулась, словно заживающая рана. Земля, оставленная в покое, упорно перерабатывала яд, всех этих тварей, населявших когда-то эту яму, жутких тварей моего детства, которые спаривались, рожали детенышей, жрали друг дружку с тоскливой ненавистью и медленно подыхали, дрожа, разлагаясь и испуская газы. Еще десять-пятнадцать лет — и никто не вспомнит о том, что здесь когда-то была мерзкая язва.

Я думал о том, что через несколько дней поезд промчится мимо городка, мимо этой ямы, увозя нас в Москву. Я думал о будущем — оно было неясным.

Во сне я часто тогда видел единорога — но это была не милая изящная лошадка с винтообразным рогом, как на картинах Рафаэля или Гюстава Моро, а хтоническое чудовище, зверь из мирового хаоса, соединявший в себе начала безмозглой животности, божественной человечности и космической беспредельности. Однажды его загнали в трясину и накинули на голову мешок, и зверь замер, затаился между сном и явью, боясь пошевелиться, чтобы не погрузиться в бездну, не погибнуть, и вот мешок истлел сам собой, и священное чудовище открыло дивные свои очи, вздрогнуло, рванулось, выбралось на сушу и двинулось вперед, ничего не видя перед собой из-за кровавой мути, застившей взгляд, ломая все на своем пути, обдирая бока, причиняя боль себе и другим, топча правых и виноватых, набирая ход, ярясь, подвывая и хрипло рыча, становясь все больше и все ужаснее, все сильнее и все неудержимее, вперед и вперед, и невозможно было сказать, что еще оно натворит, куда направится и когда остановится, и что же будет, когда оно остановится, переведет дух и взглянет на мир ясным и страшным взглядом, все еще тяжело дыша и дрожа всем своим невообразимым телом...

Что-то ударило в голову, и я очнулся. Шмель. Крупный шмель со всей дури ударился в мой висок, упал и теперь возился в траве. Наверное, подумал я, этот шмель из того гнезда, которое было устроено под забором толевого завода.

Мне не было восьми, когда я обнаружил это гнездо.

В первом классе меня пересаживали с задней парты все ближе к доске, потому что я с каждым месяцем видел все хуже, и наконец весной мать отвезла меня в областную больницу (ни в городке, ни в райцентре окулистов не было). «Миопия, — сказали в больнице. — Прогрессирующая близорукость». Выписали очки. Когда я впервые вошел в класс в очках, учительница сказала: «Над теми, у кого очки, смеются только дурачки». Этот стишок Михалкова висел тогда в каждой больнице рядом с плакатом «Мойте руки перед едой». Класс захохотал. На первой же перемене мои очки примерили все одноклассники, мальчики и девочки. Выходя на улицу, я прятал очки в карман. Надевал их, если поблизости никого не было. Здесь, у ямы, почти никого никогда не бывало, особенно летом, когда завод останавливался на профилактический ремонт. Я надевал очки, садился на склоне насыпи и раскрывал книжку.

Однажды мимо меня промчался поросенок, который кубарем скатился к яме, скакнул, упал в ядовитую жижу, дернулся и исчез в глубине. Черная поверхность дрогнула и снова стала гладкой. С насыпи заголосила женщина, которая гналась за поросенком: «Утонул! Вот сволочь, утонул! Зараза!» К ней подошел запыхавшийся мужчина.

— Сколько в нем было-то? — спросил он.

— Да килограмм тридцать было, — сказала женщина. — Ну тридцать пять. Утонул... вот зараза... ведь совсем ребенок был, совсем ребенок... один убыток, господи, один убыток...

— Теперь что ж, — сказал мужчина, — теперь его не достать.

Они спустились к яме, женщина попричитала, минут через десять они ушли. Мужчина смеялся и похлопывал женщину по заднице.

Эту женщину звали Катей Одиночкой. Она жила в конце Семерки с дочкой, трижды побывала замужем, но все мужья ее погибали — один утонул, другой погиб в автомобильной аварии, третьего зарезали в драке. Отец назвал ее однажды мартовской бабой: Катя таяла, стоило какому-нибудь мужчине проявить к ней интерес.

Я смотрел на яму как завороженный. Все произошло так быстро, что я не успел ни удивиться, ни испугаться. Поросенок скакнул в яму и через несколько секунд пошел ко дну. Его ноздри и глаза залила смола, он не мог дышать и ничего не видел, погружаясь в вязкую жидкость. Он умирал, весь дергаясь, пока не опустился на дно, и умер. Я пытался представить себе, как это происходило. Поросенку было страшно. Он ничего не понимал, и ему было страшно. Он ничего не видел, не мог дышать и весь содрогался от ужаса. А потом умер. Я стал задыхаться, как будто это я тонул в вязкой смоле, меня била дрожь, я не хотел умирать в полной темноте, в глубине, где живут мерзкие гады, которые вот-вот сожрут меня, а я даже не увижу их отвратительных морд и разверстых пастей...

Я вскочил и бросился домой.

Той же ночью я увидел, как открывается дверь, и через несколько мгновений понял, что мою комнату заполняет черная смола, которая поднимается выше, выше, начинает заливать меня, а я не мог и пальцем пошевелить, и вот она подступила к моим глазам, накрыла меня с головой, и я понял, что умираю, что я смертен и вот умираю...

Утром мать пощупала мою постель, вздохнула и повесила простыню во дворе.

Эта простыня была моим кошмаром, моим стыдом, позором и ужасом.

В больнице рядом со мной лежал старик, страдания которого облегчали при помощи кислородных подушек. Как-то вечером мать принесла котлеты и книги, и я сказал: «Когда я буду умирать, ты дашь мне такую подушку, и я не умру». Она отвернулась, чтобы я не увидел ее слез.

Когда я добрался до фантастических романов, меня ждал сюрприз: оказывается, человек может обмануть смерть. Его можно погрузить в анабиоз, и через тысячу лет он проснется живым и здоровым. Я хотел жить вечно и бредил анабиозом. Когда я сочинял свои фантастические рассказы, заполняя ими двухкопеечные школьные тетради, я думал еще и о том, что, может быть, в будущем кто-нибудь прочтет мои творения, и всякий раз, когда это будет случаться, я буду воскресать. Потом смерть со всем ее ужасом просто ушла из моих снов. Гораздо позже до меня дошла простая мысль, давно ставшая банальностью: только предельностью, конечностью жизни и обусловлена ценность человека и всего, что он делает, ценность любви и самой жизни. Смерть не антоним жизни, не ее противоположность, но неизбежная и необходимая часть ее, как стыд, как чувство вины, и всякое творчество по-настоящему плодотворно только в том случае, если в глубинах его таится память о смерти, как в фундаментах великих городов и храмов — невинная кровь, придающая человеческим творениям подлинность и святость...

На этой патетической ноте мысли мои оборвались.

Я помог шмелю выпутаться из травы, и он улетел.

Посмотрел на часы: пора уезжать.

— У меня в бардачке фляжка, — сказал шофер, которому, видать, не понравилось выражение моего лица. — Помогает.

Я глотнул коньяка, закурил, опустил стекло, и мы помчались вон из города, подальше от всего, что было так дорого сердцу и так отвратительно уму...

Переезжать нам приходилось не раз. Платяной шкаф, двуспальная кровать, диванчики, на которых спали дети, большой раздвижной диван, два стола, два кресла, обтянутых зеленой мешковиной, секретер, стулья, белье, одежда, кастрюли, ложки-плошки, книги — чтобы подготовить все это добро к перевозке, времени требовалось не так уж много. При помощи отвертки и плоскогубцев я разбирал мебель. Тряпки и посуду упаковывали в мешки и коробки, книги складывались в стопки и перевязывались шпагатом. А потом наступал черед бумаг — рукописей и тетрадей с записями.

Нет ничего тяжелее земли, зерна и бумаги. Мне не хотелось тащить с собой все эти тяжести — тысячи страниц машинописи, множество тетрадей, исписанных и исчерканных вкривь и вкось. Отобрал то, что могло пригодиться, остальное бросил в мешок. Вечером взвалил мешок на плечо и отправился к развалинам немецкого форта, где и устроил костер. Пришлось сделать несколько ходок, чтобы избавиться от бумажного хлама.

Всякий раз при переездах возникала одна и та же проблема: я не знал, что делать с дневниками, со всеми этими тетрадями большого формата, в которых я делал записи — иногда изо дня в день, иногда с большими перерывами. Конечно же, их тоже надо было бы сжечь, потому что это были не дневники, а черт знает что. По этим записям было невозможно восстановить мою жизнь, составить представление о людях, которые меня окружали, почувствовать дух того времени: ни ярких портретов, ни смачных деталей, ничего такого, ради чего и ведутся дневники. Мои тетради были заполнены чепухой. Я так привык прятаться, что даже дневникам не доверял самого важного. Сотни страниц нытья, жалоб, рассуждений о событиях, которые сегодня кажутся неважными, и изредка — записи о прочитанных книгах. Дневники Блока, Пришвина, Бунина, Кьеркегора, Толстого, Кафки, Юнгера — вот настоящие дневники. Меня же всю жизнь преследовал страх: я боялся непонимания, которое могло стать результатом моей откровенности. Это никак не было связано с общественной атмосферой тех лет и не обусловлено какими б то ни было политическими причинами. Дело было в другом. Сначала безотчетно, а потом и сознательно я вытеснял свою личность в рассказы, повести, романы. Мне казалось, что страшная яма с ядовитой смолой — мой ад, настоящий ад, в котором рождаются замыслы, должен оставаться моим и только моим владением, тайной пещерой, где кипят и горят самые жуткие, самые постыдные и самые светлые воспоминания, мысли и чувства, необъяснимым образом порождающие тех героев и негодяев, которые покидают это мерзкое пекло, чтобы предстательствовать за меня перед богом и людьми; рай — для других людей, рай художнику заказан — ему остается только тоска по раю...

Предыдущее предложение, начинающееся словами «мне казалось, что ад», дает более или менее правдивое представление о характере моих дневников — понятно, что эта патетическая болтовня не заслуживала ничего, кроме костра.

Друзья помогли засунуть вещи в контейнер, потом в пустой квартире — на полу, среди горшков с цветами — устроили отвальную.

На следующий день мы вышли на Белорусском вокзале — много некрасивых женщин с красивыми ногами, много молодых людей в спортивных штанах и куртках, с мертвым каким-то взглядом, реклама презервативов с усиками: «Как у Буденного!» — и спустились в метро.

В последние годы я много раз бывал в Москве: семинары, конференции, курсы. Я полюбил метро. Настоящим городом, подлинной Москвой для меня стал Московский метрополитен. Сверху и в центре был только морозно пылающий Кремль, вокруг которого раскинулись бессердечные и некрасивые постройки, организованные при помощи арифмометра и мерной линейки, там было торжество бесполой, бесчеловечной геометрии, местность городского типа, где и хотелось бы на что-то оглянуться, как ребенок в детстве оглядывается на отца, а взрослый — на бога, да не на что, ибо здесь не было иного бога, кроме мертвого трупа в унылом подземелье на Красной площади, а он не вызывал ни ненависти, ни любви — только тупое, цепенящее равнодушие, — словом, это был город идеи, а не человека, — но стоило войти в вестибюль метро, встать на эскалатор, вдохнуть этот безвкусный воздух, как вскоре что-то менялось, как в теплой вони, суете и толкучке, шаркании ног и подвывании поездов, в неярком свете этих подземелий, украшенных вар-

варскими мозаиками, примитивными скульптурами и вызывающе пошлой лепниной, в извилистых тоннелях, где переливалась тайными красками чешуйчатая тьма русского космоса, в сумрачном мерцании всего этого скудоумного искусства, в звуках, бликах, где-то в самой этой атмосфере, созданной дыханием миллионов людей, их запахами, их жизнями, зарождался, вспенивался, клокотал, выкристаллизовывался, — хотя, впрочем, так никогда и не воплощался, — грозный и невнятный смысл великого города, цель которого всегда выше жизни человеческой, вне этой жизни, но смысл так созвучен всему нечистому, всему темному — всему подлинно человеческому...

Вагон был полон, но не так, чтобы лезвие между людьми не просунуть. За нами вошла девочка лет девяти-десяти. Цыганка или молдаванка. Босая. На ней длинное белое платьице и черная бархатная блузка, довольно захватанная. В волосах — грязноватый белый бант. Она медленно пробирается по вагону, взгляд сомнамбулы, огромные глаза шарят по лицам. Вдруг опустилась на колени, обхватила обеими руками мои ноги и начала причитать: «Белый господин... белый мой господин...» Голос у нее громкий, почти женский, контральто с металлом, режет по нервам: «Белый господин! Мой господин!..» Она не просит денег, ничего не просит — просто воет, играя голосом и глядя снизу вверх огромными глазами — непроницаемый восточный взгляд — на меня: «Мой господин... белый мой господин...» Почему, ну почему она выбрала меня? Публика раздается, жмется, отворачивается — но не отвернешься и никуда, черт возьми, от этого голоса не денешься: «Мой господин... белый мой господин!» Мороз по коже. Электра в метро, Клитемнестра из выгребной ямы... хотя все понимают, что это — лишь прием, роль в театре вымогательства... Вдруг она отпустила меня и поползла на коленях к мужчине лет сорока — он попятился, двери открылись, мужчина выскочил на перрон, девочка — за ним.

Вот мы и в Москве...

Меня трясло, и чтобы успокоиться, я взял детей за руки.

— От нее так воняло, — сказала семилетняя Маша. — Наверное, она не моется совсем.

— Часто мыться нельзя, — наставительно сказал девятилетний Никита, который всегда поражал нас с женой своей рассудительностью. — Если часто мыться, кожа станет тонкой, и ее легко пробьет вражеская стрела.

Доехали в метро до станции «Ленино», а оттуда на электричке — в Щербинку.

Когда электричка подходила к станции, мы увидели слева на длинной бетонной стене надпись огромными черными буквами «Саша Фидель жив!». И я вспомнил о том, что весной, когда был в Москве в командировке, читал в еженедельнике «Коммерсантъ» об убийстве трех капитанов МУРа, которых замочила банда Фиделя. Такое случилось впервые с 1945 года, чтоб разом убили несколько офицеров угрозыска. Да еще довольно небрежно закопали на свалке. МВД бросило туда большие силы, и банду разгромили. Фидель попытался бросить в милиционеров гранату, но сам на ней подорвался. Его поклонники и начертали на стене у станции: «Саша Фидель жив!» Эта надпись держалась года три-четыре, потом ее стерли.

Мы направились к дому, где нам предстояло жить. Мимо бежали люди с ведрами и канистрами, кто-то крикнул: «Хватай ведро или канистру и дуй на станцию! Состав со спиртом раскупорили!» Между Щербинкой и Бутово застрял железнодорожный состав с метиловым спиртом, пломбы на одной из цистерн оказались сорваны. За несколько дней Щербинка выпила «мутиловку», и не было ни одного обращения в больницу, ни внеочередных похорон.

Поговорив с хозяевами квартиры, мы съездили в Енакиево, куда давно перебрались мои родители с дочерью и внуком. Отец был молчалив, мрачен, хотя еще недавно писал восторженные письма об украинских магазинах, заваленных продуктами. Оттуда через Москву поехали в Касимов, где и прожили до августа, дожидаясь телеграммы из Могилева (обмен был тройным: Щербинка — Могилев — Калининград).

Телеграмма пришла: «Обмен отменяется».

Контейнер с вещами на Силикатной, с работы уволился... что же теперь — возвращаться в Калининград? Жуть. Попытался дозвониться до Могилева — не отвечают. Сели с женой в автобус и отправились в Москву. Купил билет до Могилева на утро, а незадолго до полуночи решил еще раз попытаться связаться с этими людьми. Дозвонился с центрального телеграфа. Трубку взяла хозяйка, я потребовал к телефону ее мужа, минуты через две-три он подошел, начал что-то мямлить.

И тут у меня — провал в памяти.

Я не помню, что я ему говорил. Ни слова не помню. Помню только, что был в ярости. Говорил минут десять. Когда вышел из кабинки, сказал жене, что утром эти люди приедут в Москву. И ведь приехали. Значит, что-то такое я им сказал, что пробрало.

Через два дня я поехал за контейнером, который месяц простоял на станции Силикатная.

Дверцы контейнера были отогнуты, но не помню, чтобы что-то у нас украли. Да и красть было нечего. Когда контейнер погрузили, я спрыгнул с грузовика, неловко приземлился, подвернул ногу. Пока ехали до Щербинки, нога распухла. Вот так и таскал мебель на пятый этаж — слезы из глаз.

Последние деньги и две бутылки водки, купленной по талонам еще в Калининграде, ушли шоферу, который помогал выгружать барахло из контейнера. Пришлось залезать в долги.

Из Калининграда я посылал тексты в «Российскую газету», где заместителем главного редактора был тогда Влад, когда-то работавший в «Калининградской правде». Меня печатали. Когда подошло время переезда, я позвонил Владу и попросился в редакцию «РГ». Через полчаса он ответил: дело улажено, ты принят в секретариат газеты: «Ты же все умеешь».

После неудачного приземления на Силикатной я едва передвигался. Кое-как добрался до почты, позвонил Владу, рассказал о своей беде. Договорились, что я выйду на работу 19 августа, в понедельник.

Поздно вечером в воскресенье, 18 августа, я повесил над кроватью Джоконду из «Огонька», откупорил «талонную» бутылку водки, выпил за ужином и, прихрамывая, вышел прогуляться.

Навстречу шла компания разгоряченных парней — малорослых, по пояс голых, пахнущих потом и водкой, с коротковольными автоматами в руках, в милицейских штанах. Веселые, злые. Скрылись в темноте, за магазином, который торговал вонью: запах гниющего мяса въелся в его стены, хотя мяса на прилавках давно не было.

Я поднялся на мост, висевший над железнодорожными путями, закурил, положил руки на перила. Вдали горели огни ночной Москвы, а над нею стояло дрожащее свечение — по всему горизонту, куда хватало глаз. Я думал о том, что через три-четыре дня вернется жена с детьми, которых надо собирать в школу. Я думал о том, что завтра выйду на работу, что ж, газета так газета, не привыкать. Я думал о том, что скоро мои рассказы напечатают в московском толстом журнале. Мне уже звонили из редакции, и какая-то дама сказала: «Да-да-да, вы, наверное, не верите своим ушам, но это так: мы вас печатаем. Наверное, вас переполняет радость...» Я не стал говорить ей о том, что меня не переполняла радость, я считал, что так и должно быть. Я думал о тех рассказах, которые уже написал и еще напишу. У меня было много *лиардов,* очень много. Триллиард, два, три, и я не думал, что запас их когда-нибудь иссякнет. Нет, никогда, потому что кончаются деньги, а настоящее богатство не кончается никогда. Я думал о том, что впереди меня ждут великие трудности, чудовищные ошибки и провалы, стыд, стыд и стыд, но это меня не пугало. Выбора у меня не было — я не только считал себя вором, шпионом и убийцей, но и был им, только им, никем иным. Я чувствовал себя существом, выделяющим слова, как скаковая лошадь — пот, как лягушка — слизь. Я был готов ко всему. Я был готов писать, переписывать, писать и зачеркивать, писать и сжигать, снова писать, пока не стану землей, черной землей. Я смотрел на Москву, на ее огни, на ее золотые лиарды и видел город на высокой горе, стобашенный город великий и белый, и в голове моей звучали слова из Книги Великой Надежды — Откровения апостола Иоанна Богослова: «И увидел я новое небо и новую землю, ибо прежнее небо и прежняя земля миновали, и моря уже нет...»

Свистулька

Вместо эпилога

После похорон отца младшая сестра достала вдруг из какой-то коробки глиняную свистульку-петушка: «Он хранил ее среди самых дорогих вещей, а почему — не знаю».

Мне было пять лет, когда я выменял этого грошового петушка у товарища на перочинный нож, украденный у отца: уж больно мне хотелось завладеть этой свистулькой, сил не было устоять перед соблазном, хотя голос у глиняного петушка был некрасивым, сиплым.

Узнав об этом, отец рассердился. Досталось и мне, и петушку, разбитому вдребезги.

Я про эту свистульку забыл, а отец, оказывается, собрал осколки и склеил чесночным соком, а потом сорок с лишним лет хранил среди самых дорогих вещей.

Отец прожил тяжелую жизнь. С двенадцати лет работал в колхозе, пережил страшный белорусский и страшный украинский голод, прошел войну, сталинский лагерь «ее» литера «л», долго и мучительно болел. Таких слов, как «радость», «счастье», «любовь», в его словаре не было. Наши отношения складывались непросто, иногда очень непросто: мы годами не разговаривали — случалось и такое. Он вообще плохо сходился с людьми — близких, настоящих друзей у него не было. Как, впрочем, и у меня. Вдобавок в последние годы мы жили далеко друг от друга.

Недавно я снова перебирал старые фотографии. Отец в буденовке, в танкистском шлемофоне, в долгополом кожаном пальто, застегнутом под подбородком. Взгляд у него хоть и ясный, но усталый. А вот редкий снимок: он смеется...

И вдруг вспомнилось, как мы с ним ходили за медом к знакомому леснику, жившему километрах в семи-восьми от нашего дома. Туда мы вышли рано утром, по холодку, это была приятная прогулка. А вот возвращаться пришлось по жаре да еще с грузом. Мне было, кажется, восемь или девять. Я устал, натер ногу, начал хныкать. Отец молча шагал впереди, не обращая на меня внимания, и вдруг, когда я простонал, что я пить хочу, что мне больно, что я больше так не могу, все, баста, он обернулся и сказал: «Значит, жив». И пошел дальше.

Значит, жив...

Сейчас, когда его нет, я вспоминаю эти его слова и испытываю при этом странное чувство покоя и тихой, ясной радости. Эта странная радость как будто объединяет нас, поднимает над нашими ссорами, над непониманием, которым мы оба мучились всю жизнь, боясь произнести вслух слова «счастье» или «любовь». И еще эта свистулька, которую он хранил среди самых дорогих вещей... От нее пахнет чесноком, голос у нее некрасивый, сиплый, но это голос моей радости, нашей радости, хотя я и не могу объяснить, что это такое. Не могу — и все тут.

«Значит, жив», — сказал бы отец.

Содержание

Литературно-художественное издание

БОЛЬШАЯ ЛИТЕРАТУРА. ПРОЗА ЮРИЯ БУЙДЫ

Буйда Юрий Васильевич

ВОР, ШПИОН И УБИЙЦА

Ответственный редактор *О. Аминова*
Ведущий редактор *Ю. Качалкина*
Выпускающий редактор *А. Дадаева*
Художественный редактор *А. Марычев*
Технический редактор *О. Лёвкин*
Компьютерная верстка *И. Ковалева*
Корректор *О. Супрун*

Фото на 4-й сторонке *Никиты Буйды*
Иллюстрация на обложке художника Eugene Ivanov

ООО «Издательство «Эксмо»
127299, Москва, ул. Клары Цеткин, д. 18/5. Тел. 411-68-86, 956-39-21.
Home page: **www.eksmo.ru** E-mail: **info@eksmo.ru**

Өндіруші: «ЭКСМО» АҚБ Баспасы, 127299, Мәскеу, Клара Цеткин көшесі, 18/5 үй.
Тел. 8 (495) 411-68-86, 8 (495) 956-39-21.
Home page: www.eksmo.ru . E-mail: info@eksmo.ru.
Қазақстан Республикасындағы Өкілдігі: «РДЦ-Алматы» ЖШС, Алматы қаласы,
Домбровский көшесі, 3«а», Б литері, 1 кеңсе. Тел.: 8(727) 2 51 59 89,90,91,92,
факс: 8 (727) 251 58 12 ішкі 107; E-mail: RDC-Almaty@eksmo.kz
Қазақстан Республикасының аумағында өнімдер бойынша шағымды Қазақстан
Республикасындағы Өкілдігі қабылдайды: «РДЦ-Алматы» ЖШС,
Алматы қаласы, Домбровский көшесі, 3«а», Б литері, 1 кеңсе.
Өнімдердің жарамдылық мерзімі шектелмеген.

Сведения о подтверждении соответствия издания согласно
законодательству РФ о техническом регулировании можно получить
по адресу: http://eksmo.ru/certification/

Подписано в печать 04.02.2013. Формат 80x108 1/32.
Гарнитура «Гарамонд». Печать офсетная. Усл. печ. л. 16,0.
Тираж 5 000 экз. Заказ 4859.

Отпечатано с электронных носителей издательства.
ОАО "Тверской полиграфический комбинат". 170024, г. Тверь, пр-т Ленина, 5.
Телефон: (4822) 44-52-03, 44-50-34, Телефон/факс: (4822)44-42-15
Home page - www.tverpk.ru Электронная почта (E-mail) - sales@tverpk.ru

ISBN 978-5-699-62607-6

9 785699 626076 >

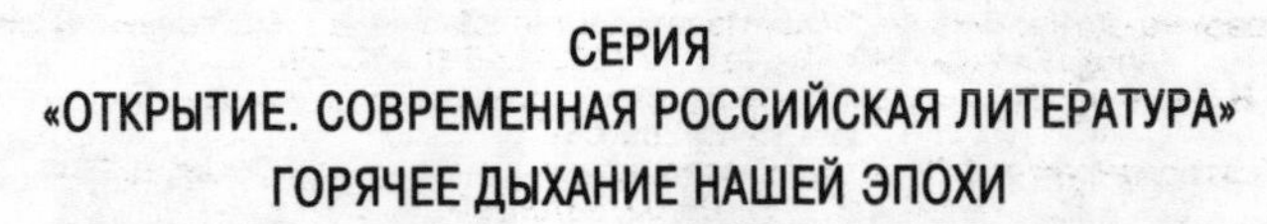

ПРЕДЕЛ ЗАБВЕНИЯ
СЕРГЕЙ ЛЕБЕДЕВ
ЮРИЙ БУЙДА
СИНЯЯ КРОВЬ
в романе: